EDITORA **TRINTA ZERO NOVE**

*"A tradução não se cinge apenas a palavras:
é uma questão de tornar inteligível uma cultura inteira."*

Anthony Burgess

INVOLUÇÃO

e outros contos
para um mundo em crise

*Colectânea de Contos Traduzidos pelos vencedores do
Concurso de Tradução Literária 2020*

Coordenação de **Sandra Tamele**

Conto| (en)cont(r)os 05

EDITORA TRINTA ZERO NOVE

Título Involução e outros contos para um mundo em crise
Direcção da colecção Sandra Tamele
Revisão Editora Trinta Zero Nove
Capa e Projecto Gráfco Editora Trinta Zero Nove
Paginação Editora Trinta Zero Nove
Impressão Editora Trinta Zero Nove

ISBN: 978-989-9022-49-2
Depósito Legal DL/BNM/767/2021
Registo 10619/RLINICC/2021

Contos originalmente publicados em:
Hotel Africa, New Short Fiction From Africa'; 1st Edition; Short Story Day Africa; Johannesburg; 2019
Redemption Song and other stories; 1ª Edição; Interlink Books; Northampton, Massachusetts; 2018.
The Goddess of Mtwara and other stories; 1st Edition; Jacana Media; Johannesburg; 2017

Av. Amílcar Cabral, nº1042
Maputo
Moçambique
contacto@editoratrintazeronove.org
www.editoratrintazeronove.org
 @editoratrintazeronove

ÍNDICE

Prefácio

À terceira é de vez e, eu não escapo ao adágio, pois tento prefaciar esta colectânea desde a edição de estreia em 2019. Este terceiro volume traz uma sensação de realização diferente dos que o antecederam, não só pelo reconhecimento internacional que recebemos este ano, mas também por publicar, pela primeira vez, nas línguas Moçambicanas e escritoras africanas vencedoras de duas iniciativas de escrita criativa e edição em África: o Short Story Day e o Caine Prize for African Writing. A primeira, foca na descoberta de novos talentos para oferecer a estes as oportunidades reservadas a autores mais experientes, buscando contos autênticos da África, sobre África e escritos por Africanos, sem descair em clichés ou generalizações. A segunda, instituída no ano 2000, há muito anseio traduzir e publicar, orgulhosa do facto de Moçambique ter-se estreado na edição de 2001 com dois contos finalistas para o Prémio, mas triste por há mais de vinte anos nenhum dos PALOP ter voltado a conseguir o feito.

O Caine Prize foi considerado pelo Herald Tribune o Prémio literário mais importante em África e, uma admiravel e essencial porta de acesso à ficção Africana actual.

Este sonho tornou-se realidade quando coube a mim traduzir o conto que dá título à colectânea, 'Involução' da autoria da sul-africana Stacy Hardy, o único que nenhum dos concorrentes da Edição de 2020 se desafiou a traduzir. Talvez por Hardy escrever contra tabus sociais, que ela explora na sua narrativa de diferentes ângulos e perspectivas, abordando abertamente a sexualidade da mulher, uma questão que muitos prefeririam deixar intocada. Involução aborda também preocupações sociais e políticas, faz alusão a questões como a degradação ambiental, o colonialismo e direitos da mulher, ancorados numa teatralidade conceptual necessária para que o conto não se torne efémero e engaje o sentido de humor do leitor para o aproximar da mente aberta de Hardy.

O segundo conto da mesma colecção, 'A heroína misteriosa' ou 'Mavbanelo na mayi' em Bitonga, é da autoria da Tanzaniana Lydia Kasese. Ela escreve sobre as expectativas e pressões sociais que levam as mulheres a desejarem concertar tudo. Neste conto Kasese traz destramente à luz questões sobre o abuso de menores e o seu impacto sobre as famílias na Tanzânia e, não só.

Hotel Africa é o título escolhido pelos organizadores da colectânea anual de Novos Contos de África que na edição do último ano pré-pandemia pedia "contos ficcionais inovadores que se desenrolem nos quartos, corredores, bares e lobbies de hotéis por todo o continente".

Alinafe Malonje estreou-se nesta colectânea da Short Story Day com o conto 'Manutenção de Rotina', um registo metafisico de um hotel: parte alegoria, parte meditação com um subtil comentário sobre o que significa ser mulher no Malawi.

Natasha Omokhodion-Kalulu Banda cria um fabuloso hotel de fantasia que contém realidades sinistras, construindo um persuasivo mundo alternativo.

Tariro Ndoro em 'A lenda das duas irmãs', ou 'Xihitana xa vamakwavu na makwavu' em Changana, traz uma abordagem arrepiante dos perigos da saudade, onde a busca por uma irmã num hotel de luxo em Victoria Falls tem um fim fantasmagórico.

O último conto seleccionado para constar entre os textos de partida é originário do Madagáscar, completando assim a linha imaginária que separa Moçambique dos seus vizinhos e motivou a selecção dos textos. Um conto com um ritmo cerrado e um desfecho totalmente inesperado quando Mampianina Randria nos apresenta em 'O Gatilho', ou 'Niyódeké sê xidúvúlá' em Changana, uma mulher que lida com as frustrações de quem entra na vida adulta.

A edição tem sido para mim uma experiência com uma curva de aprendizagem assustadoramente acentuada, mas ao mesmo tempo empolgante quando seguro nas mãos mais um volume publicado. Sou quem selecciona os textos de partida e, no lançamento acompanha-me sempre um friozinho na barriga, a esperança de você, o leitor, apreciar os contos tanto quanto eu.

Sandra Tamele
Fundadora e Editora da Editora Trinta Zero Nove

Sobre o Concurso

A primeira edição do Concurso de Tradução Literária de Maputo foi realizada em Julho de 2015 e acontece todos os anos de 1 de Julho a 30 de Setembro, data estabelecida pela UNESCO como Dia Internacional da Tradução (DIT) em 1991, sob instância da Federação Internacional de Tradutores (FIT), para comemorar a vida e obra de São Jerónimo, tradutor da primeira versão da Bíblia Sagrada em latim (a 'vulgata') e padroeira dos tradutores. É também a FIT que define anualmente o tema para a celebração do DIT pelos seus membros em todo o mundo.

A iniciativa Moçambicana foi pensada com o intuito de juntar tradutores e intérpretes para celebrar a profissão, e para sensibilizar a sociedade sobre o papel e a importância dos tradutores no diálogo intercultural.

O principal objectivo do concurso é promover a tradução literária, estimulando potenciais e tradutores principiantes a traduzir uma selecção de contos de outras línguas para o Português e/ou para as outras línguas moçambicanas. As propostas de tradução são avaliadas pelos membros do júri de acordo com dez critérios: compreensão do texto de partida, acurácia da tradução, estilo e registo, integralidade do texto, terminologia e léxico, correcção gramatical, ortografia, pontuação, transferência de nomes e outros aspectos técnicos e, a apresentação da tradução. As três melhores traduções são recompensadas com prémios em dinheiro, livros, certificados e publicação na colectânea do Concurso.

Além disso, durante o concurso todos os participantes são elegíveis para participar gratuitamente em oficinas de tradução literária, onde recebem tutoria e teorias e prática de tradução.

Acontece que os contos traduzidos pelos vencedores do concurso de tradução literária permaneceram inéditos durante os primeiros três anos da iniciativa, apesar de terem sido repetidamente apresentados a várias editoras em Maputo, que não demonstraram interesse em publicar as estórias por se tratar de tradução, que não era o seu foco. Isto levou-me a fundar, em Julho de 2018, a Editora Trinta Zero Nove (também inspirada no dia 30 de Setembro), a primeira editora moçambicana vocacionada para a publicação de tradução.

Nas sete edições o concurso contou com a participação de mais de 600 jovens, muitos dos quais presentes na cerimónia de anúncio dos vencedores e entrega dos prémios, que se realiza a 30 de Setembro. Neste evento, os contos traduzidos são partilhados com o público numa adaptação dramática muda, superando assim todas as barreiras linguísticas. A cerimónia ganhou a reputação de ser a iniciativa cultural mais inovadora e inclusiva com as suas leituras dramatizadas por grupos de teatro jovens locais, e a interpretação ao vivo em língua de sinais.

Tudo isto levou a que a iniciativa fosse distinguida em 2020 com uma menção especial e que em 2021 se sagrasse a primeira editora dos PALOP vencedora do Prémio para Excelência Internacional em Iniciativas de Tradução Literária da maior feira do livro do mundo, a Feira do Livro de Londres.

VIª Edição, 2020

Tema: Encontrar palavras para um mundo em crise

Vencedores:

1º Prémio: Egas Domingas Canda com a tradução de 'My mother's project' de Lydia Kasese para Bitonga

2º Prémio: Xavier Sebastião Nhanhala com a tradução de 'Le detonateur' de Mampianina Randria para Português

3º Prémio: Eugénio Rostino Manuel Dimande com a tradução de 'My mother's project' de Lydia Kasese para Português

Menções honrosas:

Orlando Lopes Guimino Chongola com a tradução de 'Door of no return' de Natasha Omokhodion para Português

Baltazar Macamo com a tradução de 'Le detonateur' de Mampianina Randria para Changana

Um agradecimento especial aos membros do júri:
Dr.ª Abiba Abdala
Dr. Abudo Machude
Dr.ª Cecília Abreu

Alinafe Malonje

MANUTENÇÃO DE ROTINA

Tradução do Inglês para Português

Mónica Margaride

Lutar contra a ansiedade parece, como o próprio nome diz, uma guerra – e, tal como um soldado não instruído para as batalhas espontâneas, Mwai nunca estava pronta. A sua vida estava sempre agitada, em constante evolução; o momento para fazer planos a longo prazo e ter grandes sonhos tinha chegado e tinha partido, a ascensão e a decadência do mundo, um a um, tiraram-lhe o poder de escolha. Por isso, ela parou de sonhar com o futuro e foi urdindo os seus sonhos, um dia de cada vez, indo com a maré, na esperança de que um sonho cultivado por um período de tempo mais curto fosse menos doloroso de perder.

No início, tratou todos os transtornos sentidos como pássaros que bicam o lado de fora de uma casa: insignificantes até que crescem em número. Quando isso deixou de funcionar, tentou uma nova abordagem. Os seus problemas transformaram-se em água a pingar na banheira no escuro da noite: irritante, mas apenas se se conseguir ouvi-la. Trancou a banheira num quarto dentro de si, numa sala remota e profunda o suficiente para que não precisasse de ouvir o gotejar, o gotejar da sua dor. Quanto mais dor sentia, mais quartos criava dentro de si, o único sítio onde nunca ficaria sem espaço.

Como um agricultor esperançoso em tempos de seca, estive sempre pronto para as coisas que poderiam acontecer. Deixei-me ficar em frente às soleiras das portas que davam para várias entradas na vida de Mwai. Nunca abri nenhuma dessas portas, pois sempre acreditei que se entrasse rápido demais, ou fizesse muito barulho, sem aviso ou sem convite, seria convidado a sair de imediato. Então esperei. Esperei e assisti à forma como ela se trancou nos quartos. Foi doloroso e, ao mesmo tempo, fascinante de ver.

Comecei a pensar nela como um hotel, um daqueles hotéis de luxo onde é necessário reservar com meses de antecedência para garantir um quarto. Um daqueles hotéis onde todos querem entrar, mas poucos conseguem pagar os seus preços e menos ainda os que têm acesso à moeda necessária. Aos meus olhos, ela era exactamente assim. Sabia, contudo, que nunca tinha sido essa a sua intenção. Acabou por se esconder tanto do mundo que o mistério criado à sua volta atraiu precisamente a atenção que tentava evitar.

Acompanhei à distância todos os hóspedes que chegavam à recepção para pedir um quarto. Alguns estavam de passagem, outros tinham reserva. Quando me parecia que ela iria recusar um hóspede, dava-lhe um quarto, e todas as vezes que eu pensava que iria deixar alguém entrar, ela mandava-os embora. Era um enigma. Como poderia alguém querer a paz da solidão e, em simultâneo, ansiar pela intimidade de uma companhia? Enquanto via a forma como ela recebia vários hóspedes no seu hotel e rejeitava outros, esperava, um dia, poder descobrir a moeda necessária para entrar no hotel que era Mwai.

Após anos de espera nos bastidores e vendo o hotel, ora crescer, ora regredir, decidi tentar a minha sorte. Num dia nublado de Fevereiro, aproximei-me. Tentei não ficar muito tempo na entrada, mas a sua grandeza era tão poderosa que não pude deixar de parar para observar por um momento.

Ficava ao lado da estrada, numa área da cidade que não era nem rica nem pobre. Era um hotel de classe alta numa zona de classe média, que conseguiu trazer hóspedes mais ricos a um bairro onde, de outro modo, talvez não tivesse tido êxito. A maneira como se integrou na infra-estrutura circundante era mais lisonjeira do que intimidadora.

Diante da beleza do Hotel Mwai, o meu medo de ser rejeitado ressurgiu, mas afastei-o e atravessei as portas. Fui recebido com o perfume leve do óleo de coco e a música suave do hotel, e o pânico momentâneo que sentira lá fora desapareceu. Na recepção não havia mais ninguém excepto a própria Mwai e eu não sabia o que fazer vendo-a como recepcionista do seu próprio hotel. Não consegui decidir se isso demonstrava a sua humildade ou a sua falta de autoconsciência. Tinha o cabelo levantado na cabeça como um ananás, e apesar do tempo nublado, a sua pele ainda conseguia brilhar.

"Bem-vindo! Deve ser da empresa de manutenção", disse-me Mwai antes de eu conseguir pronunciar uma palavra. Não era uma pergunta; era quase como se estivesse a dar-me instruções.

"Ah, sim, sou, como posso ajudar?" E assim assumi um papel que não era o esperado, mas que presumi ser o que o hotel precisava. Também comecei a pensar que essa seria a única maneira de ficar. Os olhos dela brilharam com a minha resposta, mas senti hesitação.

"Isso é óptimo. Deixe-me mostrar-lhe o hotel e verá como me ajudar, porque estou perdida neste momento". Pediu que alguém a substituísse na recepção e levou-me por um corredor. Segui-a hesitante, sem saber que ajuda poderia dar, mas feliz porque aquela manobra me tinha permitido um passeio pelo hotel, algo com o qual eu só tinha sonhado até então.

"Qual é exactamente o problema?" Perguntei-lhe, ficando mais confortável no meu papel.

"Não tenho a certeza - estava à espera que me pudesse dizer. Tive algumas reclamações dos hóspedes sobre um ruído contínuo de gotejamento. Eu mesma não consigo ouvir, para ser honesta, mas talvez me possa ajudar a localizar a fonte." Parou no meio do corredor para olhar para mim enquanto disse isso. Apresentou-me esta verificação de manutenção como rotina, mas consegui sentir a sua urgência.

As salas de conferência foram os primeiros lugares que me mostrou. Estavam lotadas com pessoas, algumas das quais reconheci dos anos em que acompanhei Mwai. Havia ex-colegas, colegas e parentes distantes. Algo me disse que naquelas salas tinha ficado albergada a maioria das pessoas e senti que eram provavelmente as mais bonitas divisões de todo o hotel.

Olhei para a multidão sentada em torno das várias mesas e concluí que essas eram as pessoas que só viram as partes de Mwai que estavam à vista, as partes de si mesma que ela quis apresentar de bom grado. As salas estavam impecáveis, com lustres dourados pendurados no meio de cada tecto, cada um enfeitado com cristais claros que tilintavam juntos, delicadamente, resultando numa sinfonia distante que ecoava pelas paredes. Por mais bonitos que fossem os lustres e os sons que os acompanhavam, sabia que eles eram uma distracção, porque por trás daquela música ecoante podia ouvir um gotejar fraco,

ping, ping... Assim que o ouvi, a minha cabeça virou-se para Mwai para ver se tinha notado também, mas ela já estava a olhar para mim. O seu olhar era curioso, como se estivesse à espera de que eu notasse alguma coisa. "Ouviu alguma coisa?" Os olhos dela fixaram-se nos meus, quase a pedir que eu falasse.

"Não tenho a certeza. Vamos ver nos outros quartos". Não sei porque não lhe disse que conseguia ouvir o gotejar. Pensei para mim mesmo que era porque estava a tentar prolongar o passeio pelo hotel pelo maior tempo possível.

A cozinha estava em boas condições e bem aproveitada. Assim que entramos, surgiu um sorriso no rosto de Mwai.

"Não há muitas pessoas aqui". Disse, em parte, como uma observação e, de certa forma, fazendo uma pergunta.

"Suponho que este é o meu santuário, não porque seja especial ou intencionalmente exclusivo, foi assim que aconteceu", disse ela, passando as mãos pelas bancadas. "Esta foi uma divisão para a qual fui empurrada desde tenra idade, independentemente de querer estar aqui ou não. Sempre me ressenti da cozinha porque nunca tive hipótese de escolha. Inicialmente, ansiava pela oportunidade de ficar aqui com um avental e um rolo na mão. Queria ser o reflexo da minha mãe, mas quando fui empurrada para aqui para ser apenas isso, começou-se a formar um conflito dentro de mim. Queria ter sido eu a escolher."

O gotejar... ping... ping... começou novamente, misturando-se com o monólogo de Mwai. "Às vezes pergunto-me se amo este espaço porque fui atraída para ele ou porque fui condicionada." Fez uma pausa e eu queria incentivá-la a continuar, mas não quis interromper a sua linha de pensamento. Não esperava que partilhasse detalhes tão íntimos da sua vida; era como se se tivesse esquecido que eu estava ali.

"De qualquer forma, se escolhi esta cozinha ou fui forçada a entrar, é irrelevante, porque o que é um hotel sem cozinha, afinal? Ser um hotel no Malawi é perceber que um hotel sem cozinha não é tão valioso como um hotel com uma. Acho que ser uma mulher no Malawi é a mesma coisa." O som da água a pingar intensificou-se.

Levou-me lá para cima para os quartos. Só percebi quando já estávamos lá, mas aqueles eram os quartos que estava ansioso por ver. O primeiro que vimos era uma das suítes deluxe. A cama estava bem feita e o minibar recém-abastecido. Era uma divisão impressionante, mas não pude deixar de me sentir um pouco desapontado. Com o que tinha visto até agora, esperava mais. Parecia um quarto de hotel comum. O ar estava denso e húmido, como se ninguém dormisse neste quarto há algum tempo. Estava confuso. Pelo que conhecia do hotel, recebeu vários hóspedes ao longo dos anos, então por que é que parecia que já tinha passado muito tempo desde que alguém tinha entrado naquele quarto?

"O hotel não tem muitos hóspedes a passar a noite, pois não?" Deixei escapar. Mwai nem sequer vacilou com a minha pergunta.

"Não até tão tarde. Temos muitos clientes no restaurante e ainda mais pedidos de aluguer das nossas instalações para conferências, mas já há muito tempo que ninguém usa estes quartos." Sentou-se na beira da cama. Sentei-me ao seu lado. Ficamos em silêncio por um momento, deixando os sons da rua em baixo entrarem na sala. O zumbido do trânsito, os sons dos vendedores de mandasi e as vozes dos condutores de minibus a gritar os seus destinos fizeram-nos companhia até Mwai falar.

"O primeiro cliente veio quando eu já tinha idade para ter juízo. Caminhou até à recepção com a confiança de quem sabia o valor da sua moeda. Eu tinha decidido há muito tempo que o modo de pagamento preferencial seria uma mente aberta, decorrente do intelecto e decorada com humor.

Sabia que este hotel precisava de um hóspede que pudesse vaguear pelos corredores que muitas vezes assustavam as pessoas, um hóspede que abrisse as janelas de um quarto que estava há muito tempo sem apanhar ar. Mas, em vez disso, aquele primeiro cliente trouxe um humor grosseiro, um ar rude e um pacote bonito como pagamento.

Não era o que eu esperava, mas a novidade tem uma forma curiosa de nos enganar. Transforma um hóspede indigno de uma experiência de cinco estrelas num cliente apto para a suíte deluxe. Ele precipitou-se a arrastar a bagagem e, na altura, eu nem sequer hesitei. Tinha-me esquecido que um hotel de prestígio não permite que os hóspedes arrastem bagagens cheias de lama pelos átrios limpos, mas numa época em que a clientela é baixa, até um hotel de prestígio tem que tomar medidas drásticas, e foi isso que fiz. Ser um hotel no Malawi é dominar a arte da fé, fé que hoje em dia não tem o mesmo valor. Ser mulher no Malawi é igual."

Observei o perfil de Mwai enquanto ela olhava em frente. A beleza dela era do género de beleza que aprendemos a apreciar. O ananás que ergueu na cabeça deixou espaço para alguns cachos caírem sobre a testa. A sua pele tinha o mesmo brilho que os grãos torrados e escuros do café Satemwa.

Por esta altura, o gotejar tomara o lugar de música de fundo do hotel. Não tinha a certeza de quando tinha começado, ou se já estava ali desde que saíramos dos salões de conferência.

"Sinceramente, não consegue ouvir o gotejar, Mwai? Parece que está alguma coisa a vazar", perguntei.

"Não. Alguma coisa está a inundar", disse ela enquanto tocava as cobertas da cama. Questionei-me sobre o que quereria dizer: se sabia que alguma coisa estava a inundar, por que é que não disse logo? Certamente se houvesse um quarto a inundar o hotel, deveríamos apressar-nos com a reparação.

"Quer ver o próximo quarto?" A sua voz tinha perdido o brilho e o tom de boas-vindas, mas continuei a incentivá-la. "Sim, vamos ver o próximo quarto."

A última divisão por onde deambulamos foi o restaurante, iluminado por uma luz ténue em tons de tinto. Estava quase cheio e sentamo-nos numa mesa no centro da sala.

"Sempre achei que comer com alguém é uma experiência íntima. A comida, tal como uma língua, tem a capacidade de transportar uma cultura e de fazer uma pessoa sentir-se mais próxima de quem é, ou mesmo de quem está a tentar ser", reflectiu.

Em determinado momento dessa visita, a Mwai da recepção desapareceu - ou melhor, transformou-se noutra coisa. Já não sentia que me estavam a mostrar o hotel; sentia como se estivesse a conversar com o próprio hotel. Era um estranho que se transformou num trabalhador da manutenção: por que razão Mwai sentiu necessidade de se explicar a mim? Por que sentiu sequer a necessidade de se explicar?

Olhei para o menu e fiquei impressionado e, ao mesmo tempo, confuso com a infinidade da gastronomia oferecida pelo restaurante. Estava acostumado a restaurantes que escolhiam uma cozinha ou conceito aos quais relacionavam todas as refeições. Não conseguia, por mais que me esforçasse, descobrir a ligação daquelas ofertas. O cardápio variava desde pratos do Malawi, como "Nsima com Chambo fresco do lago" e "Frango Kwasukwasu com arroz", até massas italianas e pratos de pizza, noodles chineses e várias selecções de fast-food. Todas as opções pareciam deliciosas, mas não era exactamente um menu coeso.

"Acho que comer comida diferente com diferentes grupos de pessoas é como mudar de idioma com o paladar. Não tinha noção de que era isso que fazia quando era mais nova, por isso insisti com a minha família para que comesse pizza quando vinham os meus amigos americanos. O que estava a fazer, na realidade, era tornar a minha africanidade mais palatável. Gostaria de ter sido mais forte. Gostaria de ter sido a única a causar impacto nos outros, em vez de ser sempre a impressionável."

Observava a Mwai a falar e não conseguia pensar no que dizer como resposta. Olhei à volta do restaurante para a variedade de rostos. Sempre soube que Mwai passou grande parte da sua vida em torno de uma multidão internacional, mas vê-los a todos num só lugar era mais assustador do que esperava.

"A diversidade deste hotel é linda, Mwai. Se isso é representativo do acesso ao mundo que você teve ao longo dos anos, não é de admirar que o hotel seja tão popular. Está cheio de cultura", disse, olhando ainda em volta para a mistura de pessoas na sala.

"Pode-se estar cheio de cultura sem nunca interagir com outras culturas. Sinto que conhecer todas estas pessoas e viver num estado constante de troca, consciente e inconsciente, de códigos foi o que me fez perder a minha cultura."

Voltei a minha atenção para Mwai, mas ela tinha saído. Estava sozinho na mesa.

Vagueei pelo hotel sozinho. O barulho gotejante estava agora no seu ponto mais alto, mas chegava em ondas. Às vezes, havia um silêncio mortal, depois o gotejar começava novamente. Não tinha certeza se estava à procura de Mwai ou da origem do barulho.

Dei por mim no último andar do hotel, num corredor de portas trancadas. Pude ouvir a voz de Mwai na minha cabeça: "Ser um hotel no Malawi é manter partes suas trancadas longe de si mesmo; ser mulher é a mesma coisa." Andei pelo corredor iluminado, com as paredes pintadas de creme e ladeadas em dourado. Todo o hotel era simplesmente maravilhoso. Quase me confundiu que algo tão bonito pudesse ser tão problemático, mas então lembrei-me que Mwai sempre fora uma mistura de contradições.

Havia uma porta no fim do corredor, e quanto mais próximo eu chegava, mais alto o gotejar soava. Conseguia ver a água a escorrer do cimo da porta e comecei a correr em direcção a ela.

Cheguei à porta e rodei a maçaneta, mas estava bem trancada. Apesar de estar a ficar encharcado pela água que escorria, senti que, se pressionasse bastante, a porta cederia. Queria saber de onde vinha o gotejar. Queria saber por que o som da água a pingar apenas se ouvia algumas vezes. Queira saber porque é que o som penetrou no santuário de Mwai, por que soou mais alto quando ela falou dos convidados indignos que entraram no hotel e por que estava mais barulhento no restaurante, o coração do hotel. Precisava de saber porque é que Mwai agiu como se não conseguisse ouvir.

"Entre, Mwai!", uma voz gritou atrás da porta.

Rodei a maçaneta e usei o meu ombro para empurrar a porta. "Mwai!", a voz chamou outra vez.

Empurrei novamente. "Entre, Mwai!"

A voz começou a ficar mais persistente, e eu também. Coloquei as duas mãos sobre a porta molhada e empurrei.

"Pare de perder tempo e entre, Mwai!"

Empurrei.

"Abra a porta, Mwai!"

"É o que estou a tentar fazer!", gritei de volta. "Estou a tentar." Parei de insistir e fiquei ali, encharcado, os meus olhos cheios de lágrimas. "Estou a tentar", disse para mim mesmo.

Ouvi o som da porta a ser destrancada e tentei novamente a maçaneta da porta. A porta abriu. A inundação que estava à espera nunca chegou. Em vez disso, fiquei num quarto vazio, e a única água presente eram as lágrimas a escorrer-me pelo rosto. O dilúvio foi dentro de mim. Como poderia não haver nada neste quarto? Por que tranquei "nada" no fim de contas? "Mwai?" Ouvi uma voz atrás de mim. Virei-me e vi a Mwai da recepção. Como não me reconheci?

"Vejo que finalmente abriste a porta", disse-me.

Pus-lhe as minhas mãos no rosto e olhei-a nos olhos

familiares. "Por que não me disseste?", perguntei.

"Dizer-te o quê? Quem tu és? Isso não era algo que te pudesse ter dito. Tive que te mostrar. Tive que te mostrar por que é que te deixaste abandonar para agora voltares."

"Ainda não entendo. Como é que uma sala cheia de nada me causou tanta ansiedade?"

"Não é cheia de nada. Tu é que nunca enfrentaste todos aqueles momentos que te fizeram duvidar de ti mesmo. Convenceste-te de que não eram nada, quando, na verdade, eles é que te fizeram sentir como se não fosses nada." Ela colocou as mãos sobre as minhas e olhou-me nos olhos." Tens de voltar, Mwai. Acredita que a tua dor não é irrelevante e retorna a ti mesmo."

O gotejar parou. Fiz o que me foi dito e regressei.

Lydia Kasese

A HEROÍNA
MISTERIOSA

Tradução do Inglês para Português

Eugénio Dimande

A minha mãe sempre soube que tipo de mulher queria ser. Sabia que tipo de vida queria viver e como vivê-la.

A minha mãe era uma artista, embora, pessoalmente, não se considerasse como tal. No entanto, aprendi a referir-me a ela nesses termos, em situações de apresentação e perguntas do tipo "o que os teus pais fazem na vida?" As amigas gostavam de gozar com a designação de artista. Uma delas, a Sra. Xiluva, adorava evidenciar a distinção entre artistas e pessoas criativas. Insistia em dizer que havia uma distinção entre os dois. Conforme dizia, uma pessoa criativa nem sempre é artista, mas um artista é, com certeza, uma pessoa criativa. Além disso, dizia que os artistas eram os loucos do mundo, indivíduos com uma insanidade aceitável, com uma visão de mundo totalmente diferente dos demais e, consequentemente, muitas vezes se sentiam excluídos, sozinhos e mal compreendidos.

Sei que a minha mãe sempre se sentiu mal compreendida. Não creio que se tenha sentido sozinha, principalmente entre nós, mas sei que na companhia dos seus familiares, durante as férias, ficava totalmente diferente. Parecia ficar acanhada. Os movimentos ficavam paralisados, a fala cheia de balbucios e o seu vasto vocabulário geralmente não lhe vinha à memória.

Ela foi criada numa família muito religiosa, onde as orações eram tão comuns quanto as refeições. Deus era o centro de tudo. Entretanto, aos 15 anos, ao decidir não frequentar mais a igreja nem o culto familiar, cometera o pior crime da história familiar, pelo menos, desde que a irmã da minha avó assassinou a amante do seu marido. O crime não foi apenas o facto de ter rejeitado a igreja e o culto, mas o maior problema é que, num breve momento de coragem, declarou-se ateia. Este foi para ela o início de uma vida de ridículo e vergonha. O pai deixou claro que a única coisa que a mantinha em casa era o facto de ela ser um produto do seu sémen e, por essa razão, tinha uma certa responsabilidade por ela.

A partir daí, tudo o que dissesse ou fizesse era visto como resultado da falta de Deus na sua vida. Mais tarde, na adolescência, quando foi diagnosticada com depressão, a mãe disse aos médicos que a doença era causada pela ausência de Deus na vida da filha, mas se esta voltasse à igreja, não seria acometida por uma doença de brancos como a depressão. Aprendeu a optar pelo silêncio como resposta a estes ataques, dedicava maior atenção a si mesma e, quando estivesse em casa, saía do quarto apenas para tomar as refeições e fazer algumas aparições ocasionais para cumprimentar o pai quando regressasse do serviço.

A situação não se atenuou por ela ter escolhido a arte como sua profissão ou pelo facto de a arte a ter escolhido, como ela própria diria. Ela não só amava o processo criativo, mas também o controlo que tinha sobre o resultado do que fazia. O facto de poder moldar a argila a seu bel-prazer. Ao pintar, adorava poder fazer diferentes texturas com o pincel e ver um resultado sempre diferente, dependendo da pressão exercida sobre os instrumentos.

Este amor pela arte não fazia sentido para a sua família, principalmente para o pai, que não entendia o motivo de ela ter optado por algo tão "simplório", depois de todo o dinheiro que gastou para lhe matricular nas melhores escolas.

A minha mãe era o tipo de artista com a arte nas mãos. Não se especializara em nada em particular, especializara-se em tudo. Tudo que as suas mãos tocavam se tornava arte, seja pintura, cerâmica, escultura, jardinagem até a confecção de alimentos. Dava às mãos a liberdade que sentia que sua mente e corpo não podiam ter e, por sua vez, as mãos davam-lhe liberdade por meio da criação.

No mesmo ano em que renunciou à religião, começou a nutrir uma simpatia por seres vulneráveis e fragilizados. Vindo da escola, tentava atrair gatos vadios para sua casa. Algumas vezes até conseguia, outras vezes não, mas, na maioria das vezes, era necessário aliciá-los aos poucos e alimentá-los durante algumas semanas, só assim é que se deixavam tocar.

Vivia para essas pequenas vitórias, era o que lhe proporcionava um sentido de propósito de vida. Adorava o processo de conquistar a confiança de seres, o suficiente para que lhe fosse permitido tocar. Certa vez, uma amiga perguntou-lhe se essa necessidade de gostar de seres fragilizados ou abandonados não reflectia o desejo de ter sido amada ou o facto de ainda desejar ser amada. Ela não respondeu, ao invés disso, pôs-se a reflectir sobre essas questões, por fim concluiu que não tinha nenhuma resposta.

Então, quando viu um moço, três anos acima do nível escolar dela, a cochichar docemente e, de certa forma, carinhosamente, enquanto tocava as partes íntimas doutro menino muito mais novo, num xitolo abandonado, ela soube que tinha encontrado o seu próximo mistério.

Ela estava familiarizada com o tópico de violência sexual e consentimento sexual, tinha aprendido sobre isso no primeiro ano do ensino secundário. Isto aconteceu após o governo ter anunciado, no ano anterior, que um número significativo de alunas tinha desistido dos estudos, por causa de gravidezes decorrentes de sexo sem consentimento, segundo fortes suspeitas. Esta aula foi destinada apenas às meninas da sua turma, mas, uma vez que ela era curiosa, naquele dia foi para casa mais tarde, para ler mais sobre casos de abuso sexual.

Embora estivesse familiarizada com a situação diante de seus olhos, ainda estava, de certa forma, confusa. O menino mais novo não parecia assustado; aliás, até tinha uma expressão facial de curiosidade e, mais ou menos, de expectativa. Na mente dela, o abuso sexual era visto como algo concretizado com violência e algum confronto físico ou qualquer tipo de resistência por parte da vítima. Entretanto, esta era uma situação totalmente diferente e não sabia como enfrentar.

Enquanto pensava no que fazer a respeito da situação, o menino mais novo notou a sua presença, fechou o zipe das calças, desatou a correr e passou por ela. Por sua vez, o moço mais velho ficou paralisado no local e olhou para ela. Ela sorriu-lhe, sobretudo porque não tinha certeza se algum deles estava pronto para falar. O moço, em jeito de resposta ao sorriso, recobrou a consciência e saiu a correr pela porta, atropelando-a.

No dia seguinte, na escola, durante a formatura, foi anunciado que um menino chamado Tito tinha tentado suicidar-se. No entanto, graças a Deus, o Espírito Santo, que habitava dentro da sua mãe, a instruiu a dirigir-se à casa de banho, onde encontrou o menino quase inconsciente a esvair-se em sangue nas tijoleiras brancas.

A formatura terminou com uma oração pelo Tito e outros jovens problemáticos, possivelmente possuídos pelo demónio que impele à prática de suicídio. Durante o período até a hora do almoço, ela foi unindo os pontos e concluiu que Tito era, na verdade, o menino que tinha encontrado no xitolo abandonado no dia anterior.

A minha mãe, até então, nunca havia conhecido alguém que tivesse tentado tirar a própria vida. Na verdade, a maioria dos que se tentavam suicidar geralmente não voltava para contar a história (considerava-se que estes tivessem mudado de residência ou talvez tenham ido morar com um parente em algum lugar). E em relação aos que ficavam, os pais impediam os filhos de fazer amizades com os mesmos, na tentativa de evitar que adquirissem maus hábitos, como o suicídio.

No entanto, por tão teimosa que a minha mãe era, resolveu dirigir-se à unidade sanitária onde Tito se encontrava hospitalizado, sobretudo porque havia concluído que tinha algumas perguntas sobre a morte e "o outro lado," que desejava saber, mas também porque suspeitava que ela pudesse ser o motivo pelo qual o menino havia decidido tirar a própria vida.

A minha mãe era a última visita que Tito esperava receber. Ela trouxe consigo uma garrafa de sumo de maracujá, como é habitual quando alguém faz uma visita hospitalar e também trouxe alguns livros antigos que não pretendia voltar a ler. Enquanto se aproximava do seu leito, o menino observava-a com cautela, sem saber qual era o significado daquela visita. Na sua cabeça, preparava as palavras que implorariam que não lhe expusessem a vergonha.

Em vez disso, a minha mãe sentou-se ao lado da cama e começou a falar mais sobre assuntos da escola, sobre ela e os gatos que tinha começado a trazer para casa e que acabariam sendo enxotados por sua mãe, porque continuavam a fazer cocó por toda casa. Ele riu-se um pouco quando lhe contou sobre uma vez em que era perseguida por cães no seu bairro e teve que trepar uma árvore, mas deu por ela e já não tinha ideia de como foi parar no topo da árvore nem como descer.

E, assim, iniciou-se a amizade. O Tito ficou hospitalizado cerca de uma semana e ela ia visitá-lo todos os dias. Ela dirigia a conversa; na maior parte das vezes ele escutava, porém, ele sorria mais e dava algumas gargalhadas de vez em quando. O incidente ocorrido no xitolo não foi mencionado naquela primeira semana (como fez com os gatos vadios, a minha mãe lenta e pacientemente esperou até conquistar a sua amizade e, por fim, a sua confiança).

***

O meu pai, por outro lado, era um académico. Era um homem muito calado, nunca falava, a menos que alguém iniciasse a conversa. Gostava de desaparecer no meio das pessoas e adorava ficar isolado numa sala cheia de gente. Muitas vezes imaginei que houvesse um mundo dentro da sua cabeça, no qual vivesse constantemente e, do qual, às vezes, se esquecesse de sair. Evitava contacto físico e visual com a maior parte das pessoas.

Era como se houvesse coisas no seu corpo que facilmente pudessem ser vistas pelo resto do mundo, se passasse muito tempo com as pessoas, mesmo connosco. Raramente o víamos, a não ser no período das refeições, quando havia conversas comuns e triviais. Estas coisas nunca nos incomodaram, pois era um homem ocupado. Se não estivesse a dar uma palestra, estava trancado no seu escritório a trabalhar.

No entanto, na presença da minha mãe, não era assim. O que quero dizer é que ele não desaparecia quando estivesse na presença dela. Ele voltava à vida, sorria mais, lançava piadas e até mudava de postura. Era como se ficasse muito mais seguro de si na presença dela.

Havia algo nela que o atraia e permitia que se abrisse. Acho que, acima de tudo, eram melhores amigos. Quanto mais eu e o meu irmão gémeo crescíamos, mais percebíamos isso e ficávamos com inveja, às vezes até com ciúme da minha mãe. A sua capacidade de dar vida, de certa forma, a um homem sem vida. Ela também ficava diferente na presença dele e muitas vezes nos sentíamos relegados ao segundo plano, como algo que servisse para apaziguar a reprovação das suas famílias.

Não me interpretem mal, os nossos pais nos amavam: simplesmente se amavam mais. O meu pai, embora não tenha sido presente na maior parte da nossa infância, tornou-se presente quando crescemos. Envolveu-se mais nas nossas vidas e demonstrou interesse nas matérias que estudávamos na escola. Gostava e era muito bom com os números. Só conseguimos passar de classe nas disciplinas de matemática e física graças à sua ajuda, quando chegávamos à casa.

A nossa relação com a família alargada era tensa. Sempre que visitássemos a família alargada, nunca permanecíamos por muito tempo, principalmente no lado materno. A reprovação do meu pai e do nosso estilo de vida eram muitas vezes visíveis, mesmo através de seus sorrisos. Ficou acordado que, até que se tornou uma norma, o meu pai seria quem nos afastaria dos convívios familiares. Fazíamos questão de chegar na hora certa para tomar a refeição, ajudar a lavar a louça e ir embora.

Agora, ao fazer uma retrospectiva, vejo que havia muitas coisas que eu e o meu irmão considerávamos normais. Na verdade, não questionávamos nada, nem mesmo nas nossas mentes, porque sempre foi assim. Nunca passamos noites fora de casa nem visitávamos ninguém, então não tínhamos nada com que comparar as nossas vidas. Estávamos completamente cientes da existência de algumas coisas que nunca foram ditas, coisas que eram encobertas na nossa casa, mas nunca pensamos em perguntar. Ou talvez fizéssemos bem por não perguntar. Acho que os meus pais nem encontrariam palavras para nos responder, caso tivéssemos perguntado.

Há três anos a minha mãe foi diagnosticada com cancro do pulmão e já se tinham passado cinco meses desde que faleceu. Embora a notícia do cancro tenha sido um choque, não ficamos totalmente surpresos, pois sempre foi uma fumadora compulsiva. Certa vez, lera na internet que o cancro era simplesmente um resultado de má sorte, pois todos nós tínhamos células potencialmente cancerígenas que um dia poderiam multiplicar-se e transformar-se em cancro.

Não acreditava na luta pela vida ou morte e, por isso,

rejeitou todas as opções de tratamento que os médicos lhe propuseram. Por algum motivo, simplesmente não queria lutar pela vida dela. Ao invés disso, acredito que escolheu a sua morte iminente como fonte de inspiração para as últimas peças em que trabalhou, que acabou por nos oferecer.

✳✳✳

No último mês da sua vida, voltei para casa. Eu podia imaginar que minha mãe não aguentaria por muito mais tempo e Tito, meu pai, agora se tornara uma concha vazia que quase sempre respondia com monossílabos e passava o dia com a mão dada à minha mãe.

Num sábado, chamou a mim e ao meu irmão para "conversarmos" no quarto dela. Estávamos habituados a esse tipo de conversas quando éramos mais novos, quando um de nós "aprontava" ou quando havia algo de errado no seio familiar. Geralmente era o primeiro caso.

Com a mão do meu pai sobre a sua, a minha mãe começou a contar-nos como os dois se conheceram. À medida que nos contava mais sobre a história, percebi que não estava de todo surpresa e a história quase fazia sentido para a pessoa que o meu pai era.

Na minha cabeça, jaz uma memória escurecida que começa a clarear agora. Quando tinha cinco ou seis anos, encontrei a porta do escritório do meu pai aberta. Era proibido entrar no escritório que ficava sempre trancado. Por curiosidade, entrei sem provocar barulho e olhei em volta. Bem no fundo do escritório, em baixo da mesa, havia uma sacola de presentes na qual me precipitei e, na minha euforia, derramei todo o seu conteúdo no chão. O som da queda dos DVDs chamou a atenção da minha mãe que, ao se aperceber de onde vinha o som, entrou no escritório a correr, agarrou o DVD que estava nas minhas mãos e mandou-me embora. Mais uma vez, trancou a porta, porém desta vez ficou do lado de dentro.

Ainda me lembro do conteúdo da capa do DVD. Tinha figuras que pareciam desenhos animados e foi por isso que peguei primeiro. Duas das figuras na capa eram duas meninas com totós na cabeça, que só estavam de roupa interior. Entre as meninas estava um homem de roupa interior e uma protuberância nas calças.

A minha mãe não falou muito pelo resto daquele dia e por boa parte da semana. O meu pai foi-se embora por duas semanas depois daquele acontecimento (viajara em missão de serviço, ou, pelo menos, foi o que nos disseram). Nunca mais encontrei o quarto destrancado.

Havia também outras coisas, como o facto de o nosso pai ter sido ausente quando éramos menores. Ele estava lá, morava connosco, mas evitava-nos. Não tínhamos recordações de algum tempo em que nos desse banho, abraçasse, ou mesmo fizesse cócegas. Nenhuma dessas imagens nos veio à mente. Há fotografias em que ele aparece com uma colher a dar-nos de comer quando crianças, mas, mesmo assim, nunca estivemos sentados perto dele. Durante a maior parte da nossa infância, ele esteve em segundo plano nas nossas vidas, como um figurante num filme.

Olhei para o meu irmão e pude perceber o impacto do choque no seu rosto. Eu nunca lhe tinha contado, nem a qualquer outra pessoa, sobre o que descobrira no escritório naquele dia. A reacção da minha mãe, ao encontrar-me na sala, deixou-me atordoada e confusa, e quanto mais eu crescia, mais parecia um sonho que jazia no esquecimento (até a conversa).

***

Hoje é o dia do funeral do meu pai. E lembro-me daquele dia, quando tivemos a conversa. A minha mãe estava preocupada com o meu pai: após anos de terapias de intervenção comportamental, bem como de redução do desejo sexual, ela temia que o meu pai voltasse a ter uma recaída.

Todos choramos naquele dia, nós os quatro: o meu pai por vergonha, a minha mãe por nós e nós pelo pai que pensávamos conhecer. Acho que em circunstâncias diferentes, poderíamos ter ficado revoltados e possivelmente com raiva. Mas não era o momento certo para se ter uma conversa sobre nós mesmos e como nos sentíamos a respeito. Nos últimos dias de vida da minha mãe a tristeza e as lágrimas brotavam-nos com maior facilidade do que quaisquer outras emoções.

O meu pai tentou suicidar-se de novo após o funeral da minha mãe. Não teve êxito, mas acabou ficando em coma por três meses. Ontem, depois de um mês de discussões intensas entre eu, o meu irmão e os médicos, decidimos deixar o meu pai partir.

Eu e o meu irmão, entre nós, ainda não falamos sobre o dia daquela conversa. Se o meu pai não tivesse enveredado pelo suicídio, poderíamos ter discutido sobre o que fazer, se continuávamos o trabalho da nossa mãe ou talvez lhe denunciávamos a um hospital psiquiátrico. De certa forma, estou um pouco aliviada por não termos de tomar nenhuma dessas decisões.

Acho que nenhum de nós nasceu com a mesma coragem que a nossa mãe.

Lydia Kasese

MAVBANELO
YA MAYI

**Tsalu wunga turokedzedwa
gukhugelalidimi nya gingiza kala
lidimi nya Gitonga, khu**

Egas Canda

Gukhugela wanana waye, mayi wangu adigu-liti lifumbu nya nyamayi angabani avbweta gukhala, nigukhuye anavbanya mavbanyelo muni gumogo ni satshavbo sivbwetegago gasi gudzega mavbanyelo yoyo.

Uye adiri muvangi. Gambe, adirimwalo lizundza ni thumu waye, aholu, eni nyidigu ganela gukheni mayi wangu muvangi, nyagubani nyi dzibika ga vangana mwendro nyaguwudziswa gupwani, vavelegi vago vagu thuma thumu muni. Vangana vaye vadigumukhuthedzela khu mahungu nya thumo wowo waye. Moyo wakone adiri hane Bonolo, angabani agola gukhuye muvangi kha hambani ni wevbini muthu agunani makhinga nyagu gire silo nya siphya. Ku lisine, khandri vatshavbo vagunani makhinga nya gire silo nya siphya vagu vavangi, aholu, vavangi, vanani makhinga nyagugire silo nya siphya. Adigutadzisela gambe khuye, vavangi khu gutala gwawe vathu vanyagu handruga, khava pimisi, gambe, vanani mambe mahingigedzo mayelano ni litigo, guhambana ni vakwawe, khu guralu, dzinyodro nya dzingi, mayi adigu dzipwa khanga gisiwana, nigukhwatshi agutshepetwa. Nyingu dziti gukheni, dzinyondro nya dzingi adigutshuka gukhwatshi kha yingiswi mwendro kha kha-thaledwi. Khandri nyari kheni adigu dzipwa khanga gisi-wana agubani ari ni ethu, aholu, gaya gwaye vagubani vatshanganide khu matshigu nya simotse adihabambanide ni vakwanu, mwendro gukhwatshi muthu nya lidede adzithesa vbavbatshi, atiya sivbangu, asindrwa ni gudzikhutha-khutha, atedwa khu gilaga, ahamuga ni gilo nyaguganele.

Gaya gwawe, vadiri makhodwa, avo vadigigugira ngudzu milombelo gufana ni guhodza. Silo satshavbo sidigu
phela sibe sihegisela ga Nungungulu. Aholu, anari ni likhu-
mi na livbandre myaga, aghohide ga gilongo gyaye khugu
khuye khadzini gambe guhongola tshetsheni, mwendro
gubela tshanganoni nya wukhodwa ni gilongo, nadru waye
wudiri wukhongolo gufana ni wa koko waye nya nyamayi
angasonga gibhayi gya mwama waye. Nandru nya wukhongolo khandri gubomba tshetshe, ni gukhozela basi, aholu,
khu gutiya adzithula muhedheni. Khugela vbale kamwe,
aphede guvbanya wufendretiri ni dzitshonitiri, avboha avbo
nyagu embedwe khu nyehe waye gupwani narisindri olu
anga velegwa khu mbewu yaye, ni olu amukhathalelago, na
rurisidwe khu ndrangani gwaye.

Gukhugela vbale furi, satshavbo angabani agugira
mwendro guganela adigupwani gighelo kholu agumwa-
lo Nungungulu muguvbanyani gwaye. Khu gugimbila nya
matshigu, mayi anari mbiri, atuguledwe madwale mangabani mamukhadzisa wutundzu, mayi waye aembela dhokodela
khuye mwanaye adikaza abeledwa khu madwale nyagu ma-
mupilela litsaku khugumbana Nungungulu maguvbanyani
gwaye.

Mayi ahevbulede gudegula asixamula muthu, amidzela
satshavbo, gaya adisidugi nyamu dugaduge khu nyumbani,
aguduga, aditahodza, mwendro guta losana ni nyehe waye
agubani awide khu thumutunu. Libangu laye liengedzedwe
khu thumu nya wuvangi anga hathana nawo khu lihaladzo.

Mayi adigu vanga silo saye khu dzikhenge, gambe, mihandru nya thumu waye adigumigola. Khanga gifananiso, uye adigu kodza guwumba libumba ali dzuwulugisela gwadi gasi gugira egi angabani agivbweta. Simbari agubani apendra, adigu tsakiswa khu gutsenenela athedzela mikwenga, nagu lova silo nya guhambane-hambane, mayelano ni edzi angabani ahingigedza niguphara khidzo aphara khiyo dzidreku dzaye.

Mugilongoni gwaye, mwalo angabani atsakiswa khugu mayi agola wuvangi, ngudzungudzu nyehe waye, angabani asidziti gukhuye khu ginani mwanaye anga hatha thumo nya guvbevbuge, hwane nyagu na vbaladzede dzitsapawu nya dzingi ngudzu nagu livbelela mudzindrangani wuhevbuli nya dzadi.

Sivangwa saye mayi adigugira khu mandza. Adirimwalo wuhathehathe vbasigirotunu gwaye. Khu kharatu, gyatshavbo gigabani givbindra khu mandzani gwaye gidigu hegisa khugu gira givangwa. Adigu kodza gupedra, guwumba libumba, guvata sikhelekhedhane, gugira dzi jaradi, simbari guphula. Mandza yaye adimatxuside gukhuye mana thume, simbari givili gyaye nagyasa thxusega, mandza yaye madimutxuside gukhayo anapimise egi aginago.

Khu mwaga anga tsukula khuwo wukhodwa, aphede gugola silo nya wukheta. Nari ndzilani nyagu hongole mwendro nyaguwuye khu xkwatunu, agumanana ni maghoya adigu maranedzela, naguzama gukhuye mana mulandre, mambe madigu dzumela, aholu, mambe madigu bomba, ahegisidego khugu amagirela mafundza kala mangamuolovela madzumela nigu pharwa.

Mihandrwanyana yeyi, khiyo angabani amivbanyela, iyo niyo, midigumininga givangelo nya guvbanye. Adigutsakiswa khu gukodza gupembedzela silo kala simuthemba nigumudzumela. Moyo nya pari yaye adingatshuka amuwudzisa gukhuye gukaza aya gola silo nyawukheta, silo nyambana waye, khandri aguzama gunonedza edzi angabani aguvbweta gukhuye anahaldzwe khidzo gani, mwendro khandri malombelo khayo nya lihaladzo. Uye khanga xamula, aholu, lihaladzo lile asimamide nalo.

Litshigu limwedo, awonide lidzaha limwedo lingabani lithangide khu myaga miraru eskwatunu, nali lembela ndzeveni ga lidzaha likwanu nya nandra gwaye, gumogo nigulipharedzela mbeligwaye khu lihaladzo, navari omu gungabani guri gitolo khu gale gakone, khu vbale atugude gukhuye anarini makungu nya maphya muguvbanyani gwaye.

Mayi adigu dziti gukhuye gupfinywa ginani, adihevbude nangaguphela guhevbula ensinu medio, gikhathi gambe anga hevbula khu mahungo nya guwudzana. Ulolo mufumo adingari gupalusa gukhuye, mwaga wunga bani wungari guvbindra tengo nya wukhongolo nya sagadzyana wudibhangude sihevbulo khumahungu nya mimba, gambe gudigu pimiswa gupwani mimba yakone yikhuridwe sagadzyana sesi nasigulandrwa malahu khu gigurumedza.

Omu nya gikwata gyaye nya wuhevbuli sagadzyana basi singa hevbudzwa mahungu yaya, gambe, uye khu wugengeli waye, ni silambo sakone atude mabhuku ahevbula khu mahungo nya vanyagupfinyane.

Simbari angabani aguhevbulela gusiwona simu jujide mapimo. Lidzaha lile nya nandra, khalangabani lithava, gambe lidigunengela. Mayi adigu pimisa gukhuye mutho apfinywago, angu dwana, azama gubomba mwendro gudzivhikela aholu, esi anga siwona sihambanide gambe, khangadziti nigukhuye anavabelela kharini.

Mayi nangagu pimisa khuye anarini, wule nya nandra, atugude khuye angu wonwa, asega libhuluku laye, amuvbindra, adugela. Khu gimbe gipandre, oyu nya koma, abangide sivbango vbale angabani aemide avbo, amukhedza. Mayi amuhegede kholu angabani asidziti gukhuye uye naye moyo wawe adidzidongisede gasi guganela gilogyo. Khanga xamulo, lidzaha lile litshulegide sivbango, limurindrividza adreya lidugela.

Khu litshigu linga landrela, nari vbatshanganutunu, xkwatunu, vaganede gupwani, vbanova lidzaha nya pwane khu Titus lizamide dzi songa. Aholu khu wuhigu wa Nungungulu, liphuvbo nya guage livbanyidego ndrane ga mayi waye, limurumide guhongola petoni omu angaya mana mwanaye, nadzimide ulolo nagurutelela novba.

Tshangano wule wusegidwe khu nombelo wunga giredwa Titus ni mambe madzaha mangabani mari ni nala masengedzedwa khuye gasi gu madzi songa. Khu gikhathi nya gufixula, mayi agiride sikwata nya vavili- vavili, kala angatugula gukhuye Titus angathudwa khu lidzaha lile anga limana mugitoloni vbanova.

Kala vbale mayi adingasimuti ni muthu moyo angabani azamide gudzisonga. Avo vanga bani vazamide gudzisonga, nya vangi vakone khavangabani vawuya, vadi rura vaya

khala ni vambe valongo mambe mayigo. Gambe, vale vanga
bani vasimama guvbanya mughanghani wawumowo, vavelegi vadigu himbedzela sanana sawe guwumba navo wupari,
khu guthava gukhavo vanga sihevbudzela silo nyagu lolele,
khanga gutshwedza.

Mayi adibangide hungo, ahongode ndrangani nya
wudhahi angabani adziyede iyo Titus, ngudzungudzu kholu
angabani ataledwe khu siwudziso mayelano ni gufa gumogo
ni "khisi kheyi gumbe" naguvbweta mixamulo, nigu adigu
pimisa gukhuye Titus azamide gudzisonga khu mahungu
yaye.

Titus khanga bani avirela guta holedwa khu mayi. Aholu uye amuyede ni gikombe nya lirukujawu, khanga gigu
giolovedzo muthu agubani dziyede ndrangani nya wudhahi
ni mabhukwanyana yaye yagale angabani asimavbweti gambe guhevbula. Titus amubukede gwadi nahidzimela vba gi-
vbandratunu gwaye, nasidziti khuye lipfumba lile lidiri lagi-
nani. Wongoni gwaye adidongisede malito gasi guta lomba
khuye asi palusi wufendre waye.

Aholu, mayi akhalede mudzibambe nya givbandra gyaye, amuwusela, vabhula khu mahungo ya xkwatunu, vabhula khu mahungu yaye uye mayi, gumogo maghoya angabani
arwaletela aya nawo gaya manga hegisa khu gututumiswa
khu mayi waye khu gunyanyetela malangani nyambayela. Titus amabuzide mahego gikhthi mayi anga muembela khuye
lomo litshigu anga tutumiswa khu simbwana ga mughanga
waye aya hapfhula nari simboni, gukhuye avbohiside gurini
khanga bani adziti, nigukhuye anatshiga kharini khangabani

adziti gambe.

Wupari wawe wuphede kamwe kharato, Titus nadzi-
yede ndragani nya wudhahi khu gipimu nya livhiki rumba,
mayi naguya muholela tshigu ni tshigu, gambe adigu ganela
ganela, Titus ayingisela, amuhegela ngudzu, khu gimbe gikhathi amuhega. Giphamo gya mugitoloni kha vanga tshuka nava gikhumbugide khu matshigu yale nya guphele.
Mayi a giride khanga edzi anga sengedzela khidzo maghoya,
avirela gwadi natimisela kala vanga khala dzipari vathem-
bana.

Khu gimbe gipandre, nyehe wangu adiri muthu nya
guti ni wugengeli. Khangabani aregera nyamuregere, narisindri agu angudwa. Adigu gola gudzimela vbagidzemo-
tunu, nigudzitsongahata, nyumbani nyagu tale khu vathu.
Nyidigutshuka nyipimisa gukheni lidiromo limbe litigo
wongoni gwaye, omu angabani avbanya umo atshuka adi-
valedwa ni guduga.

Avbanyide nyasihasihanitiri asi wonani mwendo guku-
hana ni vathu nya vangi.

Adigugira gukhwatshi givili gyaye gidiri ni silo nyagu agukhala muvathuni gikhathi nya gulaphe sidi vbireda
gutugulega. Sibari ethu nethu, gudigu garadza gumuwona,
gudiga gikhathi nya guhodze, avbo hingabani hibhulanya-
na. Simbari khu lolo khahanga bani svihala myonyo kholu
hidigudziti gukhethu uye adiri muthu nya sigiragira nya sin-
gi. Agubani asiri muthangeli nya tshanganu adiguthumela
hofissani gwaye.

Aholu, agubani ari nimayi adigu vbindrugedza. Nanyivbweta gukheni khangabani adzi segela vagubani vari khu gyawe. Adiguwuga, anonedza mahego, ahagana, simbari makhalelo yaye madigu vbindrugedza. Adigugira gukhwatshi adigudzithemba ngudzu vagubani vari vavavili.

Mayi, adiri ni gilogyo gingamuranedzela, kala gu atshulega. Nyingukhodwa nyagukheni vadiri dzipari nya dzikhongolo. Eni ni ndriyangu nya guvelegwe khu mavbaha gikhathi hingabani hi dandra, hitugude, hiphela gukhunguvanyeka nigu gukhala wufu ni mayi. Khu edzi angabani akodza khidzo guvbanyisa muthu nyambana womi. Mayi anuye, adigu vbindrugedza vagubani vari khu gyawe, dzinyondo nya dzingi hipimiside gukhethu va hwede gu hapfhula, hidigu vbwetega gasi guta vbedza nyimbi vangabani varinayo ni dzingamu dzawe dzingabani dzisi vadzumeli.

Munga nyi pimiselini guvivba, vavelegi vathu vadiguhihaladza. Aholu, avo vadigu haladzana ngudzu, guvbinda edzi vangabani vahi haladza khidzo. Nyehe, simbari angabani ahikalela khu wanana wathu, ahivbwetedzede nahidandra. Adziningedzede ngudzu muguvbanyani gwathu, gambe ayeyedzide gudzikhathalela khu esi hingabani higugira xkwatunu. Adigu gola ni gukodza ngudzu thumisana ni sivalelo. Khaha repwela avbo nya mabhuku nya Matematika ni Fisika kholu angabani ahi hevbudzela nahiri gaya.

Wudiri mwalo pwanano, nya wadi, ni gilongo khu gutala gwagyo, Kha hangabani hi hwela haguya holela valongo, ngudzungudzu avo nya lifumbu la mayi. Gu tshepetwa gwaye, ni ganyehe, mavbanyelo hingabani hirinawo, gumogo ni mahegelo, satshavbo sidigu thuledza. Gudi hungidwe,

gambe gudigu gira khanga nayo gu nyehe atahidzega musi-
pfhitshani nya gilongo. Hidigu vboha nagingaromo gikhathi gasi gu hihodza, hivaphasa guhandzela sombo hivbedza
hidugela.

Hagu dundrugela, eni ni mwama khwathu, sidirimo
nyagu kari singabani siwegede hinga bani hi pimisa gu khe-
thu sidigu lumbega kharatele kamwe. Khu lisine ethu khahanga bani hi dzi wudzisela, simbari khu mamapimisoni,
khaguva khasatshuka sivbindrugedza ni gyevbini gikhathi.
Khahangabani hilala madzindrangani gavane, mwendro gu
holela vangana, khuguralu, hidiri mwalo mufananisi maguvbanyani gwathu. Hidigu dziti gukhethu gaya midiromo
mifilhakalo, aholu, ethu khahanga tshuka hivbohedwe khu
mapimiso nya guwudzise, simbari silo hingabani hisisiti
hingabani hisi wudzisi. Khanyi tumbi gukheni vavelegi vathu nava mamanide xamulo nari gukhwatshi hidi wudziside.

Myaga miraru hwane, mayi atuguledwe madwale nya
ndzamwa omu nya mahahu, gambe, myagu vbindra livbandre migima nahitshide. Simbari manga hithusa mahungo
nya madwale yaye, khamanga khala nyagitshuketi, khaguva
adiri mudahi. Adi hevbude omu nya interneti avbo vangabani vagu khavo wagu dwala khu dzi ndzamwa libango
ugunalo, khaguva hatshavbo hinani dzi selula dzakone mugivilini gwathu edzi litshigu dzidzinago dziphelago guvele-
gelana kala guwumba ndzawa.

Uye akhodwa gukhuye angudzikodza gudwana ni lufo,
mwendro khu guvbanya, khu kharatu, gikhathi vadhokodh-
hela vanga muembela khavo vangu kodza gudhaha adze-

gede gubomba. Gyomo ginga mugira gu asidzini gudwana khu guvbanya gwaye. Nyingu tumba gukheni nagugu hidzimela gufa gwaye amanide mahingigedzo ni tshivba gasi gu agira sivangwa saye nya guhegise, esi anga hininga.

Khu ngima anga khokhisela khuwo guvbanya gwaye, nyidi bwelede gaya. Nyitugude gukheni matshigu yaye nya guvbanye, manguya namagu vbela, Titus, nyehe wangu, adikhade gipomboro nya liphanga. Wagumu muwudzisa gilogyo adiguhakha khu lito limwedo basi, gambe, avbedzide litshigu rumba anapharedzede limandza la mayi.

Yomo khokhiso mayi angahirana, eni ni mwama khwatu, nyumbane gwaye, gasi guya bhula. Ethu hidi olovede, nahigaguyanyana hagumana mahungu mwendro gilogyo hidigulamudwa khu gilongo.

Mayi napharedzede mandza ya nyehe, aphede guhi tshamusela edzi vangativana khidzo. Nigimwegyo angaregera khagyahi thurugisa gikhathi angabani ahi tshamusela matimu yale, satshabo sidigu pwala, khu mahungo nya mavbanyelo angabani ari nawo nyehe.

Gikhathi gyogyo, mambe mahingigedzo mangabani mari wongoni gwangu madiguduga guwonegelani. Nanyingari ni livbandre mwendro livbandre nalimwedo myaga, nyidinga mana lidimba nya hofisa ya nyehe nalitudwe, hidigu himbedzedwa gubela, lidigu khothwa gikhathi gyatshavbo. Nyi bede khu guvandramela nanyi tade khu siwudziso, nyi khedzisela gwadi mudzibambe gwatshavbo, khu khonatunu, gidiromo giravana nya sihiwa vbamezatunu nyinga giyela khu makolo nyiya gikhulubedza, sivbalaga satshavbo singabani sinari ndrani. Ligwaha linga girwa khu dzi DVD gikhathi dzinga thega, liranide mayi, gikhathi angatugula omu ligapwalela umo, adzude khu guvbiredza, ata nyi dzegela DVD nyingabani nyiri nayo mandzani anyitutumisa nyiduga vbavbandzi abhi adzi khothela hofisani.

Kala ni olu, nyingagu dundruga iso singabani siromo vba gighwabhatatunu nya DVD. Sidilovidwe silo nyagufane ni sithombe nya gutsakise, khiso singa nyi tsakisa guza nyiphela khiyo gudzega. Sithombe sile, sivili sakone sidiri nya sagadzyna singabani siri nisigilana nya sikhumbana, nasiri khu sithangiso basi nyambana dzimbe dzitshalu. Khu vbakari gwaso, adiromo mwama moyo anari khu githangiso nuye, gambe mbeli nya githangiso gyaye gudi khade gighughununu.

Mayi, khanga ganela ngudzu khugela litshigu lile ni mambe nya livhiki lingalandrela. Gu vbelani nya dzisumanambili, nyehe dzegide lendro khu mahungu nya thumu. Khanyanga tshuka gambe, nanyi manide lidimba nya nyumba yile nalasa khothwa.

Hidigu dundruga gambe gukhethu nyehe adiguhikalela nahinga guyanyana. Hidiguvbanya naye, aholu, uye adigu hisihalela. Hidirimwanlo maalakanyo, naguhi hambisa, mwendro naguhi gumbarela, simbari guhi tsegeletela, ni gikhathi gimwegyo basi. Dzidiromo dziraturatu, nahi lisedzela nahingari sanana, simbari khu kharato, khangabani ahikhadziside mugivilini gwaye. Khu wanana wathu, uye adigu gimbilela hwindzo, khanga muthu moyo adugago omu nya gitsopetsope narimalo gyathumo.

Gikhathi nyinga khedza mwama khwathu, nyi tugude gukheni adikhuvekide. Khanyangatshuka nyi embede muthu esi nyingasimana hofisani litshigwanedo. Gambe, xamulo wa mayi gikhathi anga nyimana wuhilewugiside, eni ni vandriyaangu. Olu nyinga dandra, gudigugira gukhwatshi satshavbo sile sidiri ndroro yingabani yitshamusedwa avbo nya libhu lile.

Muhuno hagu dzinga nyehe. Gambe, nyingagu alakanya litshigwanedo, hinga bhula. Mayi adigudzikhathalela khu nyehe. Hwane nyagu nagiride myaga anagu dhahwa, niguwoneledwa mapimiso ni mavbanyelo, gumogo guvbungudwa lidora nya gulandre malahu. Mayi adigu thava gukhuye maguwuya madwali yaye nyaluphye.

Hatshavbo nya vana hi lide litshigwanedo. Nyehe alide khu gudzipwa dzitshoni, mayi alila khu mahungu yathu, ethu nethu hilila khu mahungu ya babe hingabani hipimisa gukhethu hidigumuti. Nari gukhwatshi gudiri gimbe gikhathi nahi hasimide myonyo simbari gusvireka, aholu gile, khagyangabani giri gikhathi nyagubhule mayelano ni mavbanyelo yathu, simbari edzi hingabani higudzipwa khidzo, gambe, khu matshigu nya guhegise nya gu vbanya ga mayi, hidigudzipwa wutundzu, hibe hitaledwa khu marongo guvbindra simbe silo.

Nyehe azamide gutshwedza nyaluphye, nahigari gudzinga mayi, khangafa, aholu, adzegide gipimo nya migima miraru nagumbomba. Hwane nyagu nahibhude ngudzu ni mwamakhwatu, khu gipimu nya ngima rumba, gumogo ni vadhokodhela, hivbohide avbo nyagumudiga nyehe avbindra muhefemulo.

Hingasi hathi ni mwamakhwathu litshigu nyagu hikhala hibhula. Nari gukhwatshi nyehe khanga zama gudzisonga, nahi ganede khu mavbanyelo angahadzi gudzega khugela vbale, gu asimama ni thumu wa mayi, mwendro gu muningela omu nya ndranga nyagudhahe vanyaguhandruga. Khu mambe mawonelo sihivbevbugede vbadugwana kholu anga hihimbedza guvega muthetho wowo.

Khanyi khodwi gukheni moyo nya ethu avelegidwe nagu tiyela khanga mayi.

Mampianina Randria

O GATILHO

Tradução do Francês para Português

Xavier Nhanala

Deve ser um alívio sentir que se tirou a vida de uma pessoa com as próprias mãos. Que num só gesto, num só clique, se mata um homem.

Não, eu não me tinha preparado. Foi a minha primeira vez. Aquele dia devia ter tido um final feliz. Eram os preparativos para o aniversário da minha mãe. Eu tinha acabado de receber o meu primeiro salário, do meu primeiro emprego, depois dos anos que passei na universidade, depois dos cinco anos passados no voluntariado. Eu, estava, finalmente, numa situação estável.

Com a Mel, planeámos ir às compras, comprar presentes. Estava tudo combinado para ser um sábado relaxante. Claro, era minha folga, levantei-me cedo e estava febril. Baixei a música e a impaciência havia-me dominado profundamente. Nessa manhã olhei-me no espelho. Ousei olhar directamente nos meus olhos. Eu senti algo de diferente em mim. Orgulhosa, sim, mais animada que o habitual e pronta para actos heróicos.

Mel ligou-me, dizendo que estava a minha espera na piscina e que tinha comprado convites VIP para nós duas, para a cerimónia de encerramento do Festival de Dança. Obviamente, eu havia ganho o meu dia. Olhei pela janela, Andy estava a divertir-se com Momo, nosso velho cão de 18 anos de idade. Que cresceu connosco, foi tão bom esse dia. Eu gostaria que ele vivesse para sempre.

Desci até à cozinha e a mamã já estava lá. Ela entregou-me uma sandes de ovo. Estava radiante. Eu queria vê-la assim o tempo todo. Poderia, finalmente, sustentar a casa. Ela já não teria de trabalhar até tarde. Ela já não seria obrigada a sair com aqueles estúpidos que se estavam a meter com ela e a arruinarem a sua vida. "Neny", o palavrão que eu costumo proferir quando algo mau acontece comigo. O que me surpreendeu foi que, naquela noite, não consegui proferir palavra nenhuma.

Todo o mundo diz que quando estamos prestes a morrer, todos os momentos da nossa vida passam diante dos nossos olhos. Para mim, não foi esse o caso. Havia apenas uma imagem na minha cabeça: minha mãe naquela manhã, na cozinha, linda como sempre, com o rosto iluminado pelo sol.

Uma imagem e, no fundo, uma música: «My saving grace», dos Cranberries», "It could happen here today, it could happen here and I can't wait to see your face, no I can't wait to see your face. You're just a little thing my saving grace", tocava a canção repetidamente. Uma canção que ouvia em cada momento marcante da minha vida: lágrimas, alegria, melancolia, surpresa... Eu tocava-a muitas vezes.

Ao ouvi-la, pensei na morte, a maneira perfeita de

morrer. Parecia que morrer de asfixia seria a morte mais agonizante. Morrer pelo fogo purifica os pecados. Morrer afogado, oprimido pelo arrependimento. E morrer sem saber que você vai morrer agora? Com uma bala na cabeça. Morrer sem dizer adeus aos entes-queridos...

Em algum lugar, acho que fiz bem em tirar proveito daquele dia, apesar de ter irritado o meu irmão. Estava zangada com ele por ter usado as peles do boneco para encobrir o que estava naquele equipamento de vídeo. Depois, fiquei enfurecida. Gritei com ele e forcei-o a pagar-me.

Se eu soubesse o que ia acontecer, teria sido precisa. Com um clique e talvez não nos veríamos mais.

Eu deveria ter passado aquela tarde com ele. Era o nosso ritual todos os anos. Comprar juntos o presente de aniversário da mamã. Lembro-me de quando estávamos na escola primária, durante um mês, não tocávamos num único centavo do nosso lanche. Quando chegou o dia, oferecemos à mamã um par de sandálias. Talvez se eu tivesse estado com o meu irmão, a situação teria sido diferente.

Mas ele, provavelmente, teria trazido a sua namorada grotesca. Eu desprezo-a. Ele tinha mudado completamente, desde que começou a namorar aquela moça. Ela só está a arruiná-lo com os seus caprichos e suas fantasias. O que será que ele vê nela? Odeio-a desde o dia em que vi o meu irmão vir para casa às seis horas da manhã e completamente bêbedo, com ela. A minha vontade louca de matá-la aumentou quando notei que o meu irmão se tinha viciado em drogas. Talvez eu esteja a culpá-la por tudo, talvez sejamos a causa. Eu não gosto dela, o meu irmão mudou desde então, é tudo.

Sempre que a via, queria estripá-la, mas não conseguia. Apenas o meu olhar gritava obscenidades. E eu parava por aí.

Eu costumava massacrar as pessoas nos meus pensamentos. A começar pela esposa do meu superior. Ela fez da minha vida um inferno. Eu não trabalhava para ela, mas ela estava sempre a criticar o que eu fazia. Não sei porquê fazia isso. Sendo mais nova, suponho que era uma ameaça ao seu casamento. Ela é a única que poderia fazer esse tipo de alusões. Assim, eu reservo uma noite por semana para imaginar a sua morte, eu ia atropelá-la com um carro. Mas a pessoa que eu ia matá-la a cada segundo era o meu ex, por isso estava a esfolá-lo vivo, pendurava-o sobre uma árvore, estrangulava-o, apunhalava-o cem vezes com uma faca e enterrava-o ainda vivo.

Mas, mais uma vez, bem na minha cabeça, o bom humor estava acima de tudo.

Então, Mel e eu, depois da piscina, empanturrámo-nos com um buffet, pouco tempo depois estávamos a reclamar do engarrafamento. Depois de sairmos de lá, as lojas eram nossas. Presente para todos. Às dezassete e trinta, tomámos o caminho de regresso. Só que eu decidi fazer um pequeno desvio para o supermercado. Para Momo, ele era velho, eu estava preocupada com ele. Então, os raios fizeram as horas de nossa noite passarem.

Para nossa desgraça, já eram dezanove horas, há poucos becos da casa. Mel apanhou-me saindo do supermercado. Ela queria fumar um cigarro. Ela nunca consegue deixar.

Fiquei surpresa por não encontrá-la no parque de estacionamento quando lá cheguei. Tomei o meu telefone. Estranhamente, o seu telefone tocava e estava debaixo de um carro ao lado. Aproximei-me, inclinei-me, e não sei mais o que aconteceu.

Pouco tempo depois, acordei em uma sala escura, com raios que atravessavam às janelas...Estávamos nos arredores da cidade. Toda calma.

E Mel, ela estava lá. Eu a vi completamente ferida na minha frente. Mas ela ainda estava consciente. Ela era espancada diante dos meus olhos. Contudo, ela estava reagindo. Mel, é uma Guerreira. Teve a coragem de bater em tudo quando teve oportunidade. Eu, Passei toda a minha infância com ela. Ela salvou-me das garras dos meus malditos padrastos. A Mel tinha sempre vontade de matá-los quando via um deles a pôr as mãos nas minhas Pernas. Ela estava a proteger-me.

Por isso, refugiava-me em sua casa. O tempo todo em casa dela para ficar sã e salva. Aquecíamo-nos nos nossos cobertores e víamos filmes de terror.

Naquela noite, vi o olhar dela a implorar-me para perder o medo e atacar o homem. Este homem, quem era? Seguiu-nos o dia todo ou foi apenas no estacionamento? Por que ele queria nos ferir? Ele estava atrás do nosso dinheiro? Por que não se contentou em nos roubar? Era um psicopata? Ou parque estávamos muito felizes?

Enfim, um dia de felicidade é como se eu fosse culpada de estar feliz. Parecia o fim. Eu tinha que dizer adeus a todos e minha humilde vida. Talvez a dor era destinada a terminar assim.

Depois de Mel, será a minha vez. Ela já não tinha forças. O seu olhar foi do chão para mim, de mim para o chão.

Mas uma vez que o seu olhar se foi num revólver caído no chão. Eu vi logo. A bola estava comigo. Eu era a capitã da esquipa. Peguei no revólver, era a minha primeira vez. Tudo aconteceu muito rápido, as minhas acções deixaram de fazer sentido. Não era pesado nem leve. Sem barulho, dentro da minha cabeça. Eu, rapidamente peguei na arma. Apontei ao desconhecido, sem aviso, apertei o gatilho e...

O meu irmão, meu ex., a mulher, o meu pai, a sete palmos da terra. Mas, especialmente a minha mãe na cozinha, naquela manhã.

Bum, tudo acabou por ali.

Mampianina Randria

NIYÓDEKÉ SÊ XIDÚVÚLÁ

Vutoloki ra lirimi hi

Baltazar Macamo

Phelá utuá svivêvúkíle ku hí mandla ntsé, wususí vutómí lá munhu, hí kudeké, hudlayile munhu.Náda, anízanga nitilunguisela, né kátsóngó. Niyo jén'wé. Híri síkú ráku tsaka. Akulunguiseliwa fexta rá malémbé yá mámána. Anoho sungula kuwola, depóxji ka malembe le univhersidáde, mapátsá ni lawu yá tlanu nani khútálá hí kupfúná ván'wáni. Anikumeka nitsamesekile.

Hiti lungisela na Mel, kuya xává maprénda. Hínkwásvo asvi vékiseliwi kuvê mugqivéla wa kurhúlá. Nambi svili tanu ni kahluli nipfuka, ni híséko niyingisanyana vunangá. Nani yimélétéka. Mixú lowo, ni ticuvukili ká xivúku. Nikóngómá máhló nitilángútísa. Nitwá nícíncíle. Nitidumba, ni mathimbá yáwú nghwázi kutlúlá masíkú manwáni.

Mel anibélá ríqúnga, aku ani nyimelá le pexsína, ni svirhámbú sva nkhuvo wá kugama ká tlángu wá ncínó. Svingo, niganyile lotaríya. Ni lángútá Andy hí xjanéla, natlángá ni mbzána yézo, yinga kúla nahína, Momo. Sê yigúgáku. Síkú rákú tsakisa. Anilava ku svilí xitáno masíkú ní masíkú.

Nixikí kozínya kungana mámána. Ani nyíká manyiso wá tandzá. Mámána kuvangama. Aninavela ku axonga masíkú hínkwáwu. Na xava hínkwásvo svilávékáku. Mámána hángasíndzíkéli kuthira ni vusíkú. Fútshi áwanga dlodlosekí nimasíngí yaku mutlhontlha tihányi mawónhiséla vutómí. "Hlá Neny", nihlambanya loku huméléla svobihá. Xihlámálíso xako, síkú lero, anizánga nihlaya ritó.

Valí hifa ni miyehleketo yá lesvi hihanyéke hí thinta. Mina asvivánga xitanú. Ka hloko yánga no pimisela mámána ximixwéni napfá kozinya, nkarhí jambu rímuvoninga ngóhé, náxongile kutlula minkama hinkwayo.

Nianakanya vuvusó bzakwé nakutwálá vunanga. « My saving grace» bza Cranberries."It could happen here today, it could happen here and I can't wait to see your face, no I can't wait to see your face. You're just a little thing my saving grace" ritwákálá naríduma. Risímú ráminkárhí ya ntíyíso ká vutómí bzánga: hí xirilo, kutsaka, hlatiyela kumbe xito,… anirichaya rínga gámí.

Nirihíngisa, nani pimisela lifu, maféla manéné. Híngí kufá híxihihí svibíhá kutlúlá maféla hínkwáwo. Lifu hí kuva-vamela lírivalela svijóhó. Kasi matíni umbombomela nawu-tituá nandzú. Kufá kóla svósvi, nahúnga svi nyimélangá ke? Hínlhávú ka nhlókó. Nahúngá salisangá maxaka…

Svingó, niyencíli kahlé nilondzovota síkú lero.

Lésvi ninga binyeli makwérú. Ni mukwátéla híku téká xikhumba xá brinkédu ramina ayambexa xilo léxo xa svi-tirho svá mavhídio. Kutáni, nihlúndzúká. Nimubongélíle nithlela nimuhákelíssa. Lókú ani svithivíle lésvi ngáta hú-mélélá. Hí svá kupfúní nchúmu, ngá nimíyélíli. Híkusa, ku-néné kusvilava ngá svihúmélíle kóla nyamúntlha hí katsón-gó kudeké ntsê, híva híngá vonani svín'wáni.

Hlénkanhí lowo, ásvifánéla nivé nayéne. Ali ntolovétó yá hína lémbé ni lémbé. Hi xává xikan'wé prénda yá malém-be yá mámáne. Nikumbúká nahá fúndá xikólwe, akuhéla n'wétí, nahíngá tirhisangá malé ya xifihlúto xahína. Lifíká síkú, hívá hínyíká masandáli ya nyíwáni mámáne. Kumbe loko ani na makwérú, hinkwasvo lesvi kusvilává ngáni svin-gá humélélánga.

Kúve ngáni atile ni xipsatlá xantombhí yákwé. Nayixán-dzá. Makwérú awá cíncíle kusukéla anomurara nintombí leyi. Yimuhétéla male hí svinyanyú yitithambhísá híkugwírá. Kasi avhoni yine kantombhí leyi. Nisungulí kuyinyénya síkú makwérú angavúyá nayoni ximixwéni na adakwuíli svinéné. Kunavéla kuyídláya svi ni hisisili, ngopfungopfu loku ni vonili sva ku makwéru ahanya hítimbangí. Nasvitiva hikusá yona tombhí hí mbábzí. Kusvilává noyi lumbéta hínkwásvo, kuvé svi tláliwí híhina. Makwérú ancíncíli dexjde ntsé, ániyirhandzí.

Loku niyivona, híngó ningó yisusa marhumbu kámbe ningé svitíyéli. Ntsêna niyirhukétéla hí matíhló. Svigama kolawu.

Híku pimisela ni dláyá vanu vakumbíí. Nisungula hínsátí waxéfe. Waku tikisa vutómí bzangá. Aningá tírhéli yéna kámbe awá tsámá híku vhilékísá ntírho wangá. Axivangelo. Ánixitíví. Lesvi ningamutsóngó kayéne, anivóná nílindzíngó ka núná na nsáti. Hoyechekana. Xilesvó, nivékísá vusíku bzin'wé hívhíki kukota niyanakanya maféla yakwé, kuní lókó nimugalha hímóvha. Kambé munu níngahádláya híkupínda híxikhati xitsóngó hílwéyi híngátshikana. Lwéyo, nómuxíndlá nahanya, nimuháyéka kansínya, numukámá nkolo, nimutlhavétéla dzana wámimukwána, nitlhéla nimucéléla nahanya.

Hínkwásvo ka nlhokó yangá ntsê. Svarisímá híku hanya kurhúléni.

Híkólaho Mel namina, depóxji ka pexsína, híya tidlónyétéla svingáhéle. Xikhatí xínghaní, naho ngúrángúrá kanchólólóko yamimóvha. Hihúmá lano, híkusvéé svithólo. Maprénda ya hínkwávu. Richóná, nahítéka ndhléla yakuvúyá. Kámbe nilavi ku ndhlúla hí xitólónkúlú nanipimisa Momo, sê ayigúgíle, anikhathala híyona. Hihétísá xilésvo majambu lawo na hichólólóka hí maparatelera. Xihoxo xezo, sê akubíle madezanove. Ahíli kusúhí ni káyá. Kuhuméni xitóló Mel akahlula anisíya. Aya dzaha fole. Angá svikóti kutshika.

Svi nihlámálisíle ku ningá mukume le kakuyímísiwá mimovhá. Nitéká telefone. Masíngita, livitá hansí kamovhá wathlelwéni. Nitshindzekela, nikorhama... Kólanu ánakhúmbúli nchumo.

Hi nkarhínyána, ni sísímúka sála raxinyamá, ni magézi yamovhá mangénáka hí xjanéla... ahíkuméká hándlé kadoropa. Kuyó títítí.

Mel nayéna awalikoni. Ali máhlwéni kamina na vamuvávísíle ngopfu. Kámbe awatívha. Vamubá máhlwéni ká mina. Fútshi na avatlhelisela. Mel hínghwázi. Angá tikhómi, adiliza hínkwásvo lókó svifíkíle. Angá fání namina. Hínkwábzo vutsóngwana bzanga nikulíle nayéni. Ani huluxa khotswéni ká vapadráxtu vankáládzánu. Mel híngí atomudláya lókó avóná mun'wé kavona anikhómá minénge. Awánivhikela.

Híkólaho, anichávéla kaya kákwé. Lani hánya kurhúléni. Hiti kúfúméta ká mibalú nahi hlalela mafilme yá kuchávísá.

Vusíkú lero, nivóna ká málhó yákwé xikómbélo xáku nitsika kuchává nihlúlá núna lwiya. Hílimani lweyi wánúna?

Ahi landzétélí síkú hínkwáro kumbé kakunyímisá mimovhá ntsêna. Híyíne ahilává vubíhí? Anavela malé yérhú? Angá yíve afámbá? Kumbe hínhlanyi xána? Akwélá kutsaka kwérú?

Éxi, síkú ráku tsaka, xíjóhó hí kutsaka. Nóvhéla niku, hí vugamu. Svifánélá nisálísá hínkwávu ni vutómí ramina. Kusvilává xivávu xigamísa xísvosvi.

Depóxji ká Mel, kulandza mina. Awá ngána matimba. Máhló yákwé masúká hánsí matá kámina, hí kámina mayá hánsí.

Kámbe nkámá máhló yákwé manga honokela vholovholo ringali hánsí. Niritékétá kóla ni kóla. Sê bóla aríli hítlhelo ramina. Nitávakómbá ntlángu. Nóhosangula nikuxjen'we, kukátla vholovholo. Hínkwásvo svi yendlekí hí xihatla ku níngá svitíve lesvi niyencaká. Ayíngá bhíndzí futsí ayí vévúkangá. Akunganá gúwá, ká nhlókó yánga kózwée. Nikaregara xibamu hí xihatla. Ni pontara munu lwiya, náníngá b'íkélánga, níkóngóméta, nítsimbeketa xidúvúló…

Makwérhú, núná wánga wá khale, lwiya wánsati, tataná wákufá. Ngopfungopfu n'wanga le kozínyá nímixó.

Thu, svi hélá kólanu hínkwásvo.

Natasha Omokhodion

PORTA DO NÃO RETORNO

Tradução do Inglês para o Português

Sandra Tamele

Ela cantarola. As vibrações da sua voz reverberam contra as paredes dando lugar ao sol novo. A penumbra na parede revela peças de mobiliário familiares à medida que a luz azul preenche lentamente o quarto. O espírito dela junta-se à alma do outro nas profundezas do seu ser – fazendo com que flutuem como um – incertos dos seus futuros depois deste dia.

De dentro a impressão de uma mão levemente enluvada de pele , contra as paredes internas da barriga veludo preto dela. Listras cobrem o monte escuro, cada uma a contar a história de quem pertencem. Ela sente o bebé a mexer-se violentamente, levando-a a espelhar a sua mão minuta contra a sua própria.

"19, dorme!" diz ela.

"Não consigo" responde.

"Vais arranjar-nos problemas! Tens de estar pronto e bem repousado para hoje."

"Mas eu não quero ir."

"Sinto muito, mas tens de ir. É assim a vida."

"Conta-me a estória de novo?"

"Qual delas?"

"Por favor, conta-me a estória, M."

Ela levanta o olhar para o tecto estéril. A sua frieza cromada devolve-lhe o olhar. Os olhos dela fecham-se bem apertados, e ela geme. A barriga dela contrai-se numa bola apertada. Ela respira em inspirações rápidas e curtas até relaxar novamente. Ela faz o que a primeira doula mandou. Para derrotar a dor, ela começa a narrar a fábula. Ela fala da forma que falou com todos que estiveram aqui antes de 19. Pelo seu espírito.

"Tudo começou há muitos anos – quando começou o burburinho do Ocidente.

Murmúrios de escândalo espalharam-se pela terra como fogo no capim – fábulas de bebés mulungu a serem feitos em fábricas e vendidos. O mundo tinha mudado tanto durante a era da informação, que a conveniência e gratificação imediata alimentaram um demónio vivo, voluptuário que só consumia e destruía. Com o deslizar de um ecrã as pessoas compravam e vendiam crianças. As mulheres pobres, que só tinham a fertilidade para vender, começaram a emigrar para o Norte, o meu povo fez longas e árduas viagens atravessando florestas, montanhas e vastas terras secas para fugir para a Europa. Bichos e um tempo hostil devoravam-nos se a fome não chegasse primeiro. Depois da extrema dificuldade da viagem para atravessar a terra, iam dar ao grande mar azul – vinte pessoas num minúsculo barco insuflável. Vomitando uns por cima dos outros, defecando em plenos céus abertos. A lutar e aterrorizados, não tinham capitão para os liderar. Muitos se perderiam em túmulos aguados, cheios de sal.

Pessoas de olhar desesperado nos ecrãs da televisão

choravam avisos. Vozes sérias na rádio reportavam estas coisas, mas ninguém fez nada. Pessoas estavam a ser vendidas como escravas ao largo da costa Líbia, séculos depois da abolição do comércio de escravos. No Sul, o continente sofreu. Médicos, engenheiros e professores partiram: para pastos mais verdes até não restar ninguém para tomar conta da casa. A nossa população aumentou aceleradamente, mas as nossas indústrias sofreram. Os nossos sistemas de água ficaram turvos com resíduos sintéticos que nunca mais se iam dissolver. Os nossos governos eram corruptos. Alguns pediram empréstimos até não conseguirem mais pagar. Tudo isto continuou a assolar-nos até nuvens negras começarem a visitar o nosso continente..."

"E depois o que aconteceu?"

"Mas 19, tu já ouviste esta estória."

"Sim M., mas tu nunca contas até o fim."

"Os chineses já tinham criado laços fortes com África, construindo linhas férreas, arranha céus, escolas e hospitais para nós. Eles aprenderam as nossas línguas e foi como se ficassem nossos irmãos. Então foi só uma questão de tempo até avançarem e proporem uma forma de resolverem os nossos problemas da migração e da dívida."

"O que eles nos prometeram M.?

"Eles ofereceram-se para criar um massivo programa conjunto de fertilidade com a condição de nós formarmos um estado Pan-Africano unido, que se tornaria a Nação Unida de Mbiguli."

"Mbiguli?"

"Sim. Juntos criámos uma raça de super-soldados, os Akahn – feitos através de uma cuidadosa selecção genética. O novo crescimento económico de Mbiguli e a aliança com a China mudaram a ordem do mundo. Os líderes no Ocidente não gostaram disso. Pela primeira vez na história moderna, os Africanos estavam a liderar o mundo. O comércio global foi afectado. Os nossos médicos e professores regressaram, e nos tornamos cada vez mais auto-suficientes. Tendo perdido o acesso aos recursos que saíam de Mbiguli, o Ocidente decidiu declarar guerra contra nós. No entanto, não durou muito porque…"

"Porque o quê, M.?

"Nós…"

"Nós o quê, M.?"

"No meio da noite mais fria deles, e durante o nosso dia mais quente, nós lançamos bombas silenciosas e invisíveis pelos seus continentes. Algo vil e irrevogável."

"Eles morreram?"

"Nem por isso, 19…"

"Então o que aconteceu M.?

"Não sei, 19."

Christopher olha para a esposa, Kate. O cabelo ruivo dela está empastado na sua testa de porcelana, tem as bochechas coradas no sol baixo da savana. Pérolas de suor formam-se ao longo do seu nariz perfeito. Capim alto e dourado baloiça ao vento, dobrando-se para a esquerda e depois para a direita, como se estivesse em transe. Acácias e jacarandás, robustas, espinhosas mas certas, oferecem camuflagem para os poucos antílopes que ele consegue ver.

Ela torce as mãos, tem os nós dos dedos pálidos. Ele segura nas mãos dela na concha das suas. O tejadilho de lona do toldo do Land Rover esbofeteia os lados da carrinha aberta. A ideia de uma viatura a diesel soava nostálgica nas contas em papel brilhante dadas pelo seu agente virtual, mas nem tanto na vida real.

Um grupo de zebras gigantes aparece detrás das árvores, a galoparem paralelas ao carro deles, abanando a terra, o pó que se levantar dos seus cascos descende de um antigo país de língua Portuguesa.

A voz dele carrega por cima o vento enquanto ele narra a história desta parte de Mbiguli. "Antigamente dividida em Zâmbia, Tanzânia e RDC Congo, este estreito situa-se no que se chamava Lago Tanganhica. É a capital to turismo desta região. A Zâmbia tinha uma estância turística em Kasaba Bay, construída pelo seu presidente na década de 80. Com praias tão puras que a nova nação de Mbiguli decidiu estender esta maravilhosa atracção ao criar um estreito que se estende vindo do Oceano Índico, ao largo das costas da Tanzânia."

O carro avança, deixando a savana para trás. Relvas aparadas rente são o precursor da entrada verdejante, tropical. Ramos luxuriosos de frondes verdes densas no cimo de suculentas espectaculares formam impressionantes fontes folhosas. O casal arqueia os pescoços para trás para ver a altura que elas atingem, meio à espera de ver um Golias despontar dentre o afastamento das palmeiras. Pássaros a piar voam entre as árvores, conscientes dos recém-chegados. A viatura passa pela boca de um portão aberto feito de madeira Mukwapara uma ponte de seixos brancos suspensa no meio do ar com buganvília fúchsia e laranja pendurada. Guardas altos de peitos largos, os Akhan, flanqueiam cada lado da ponte, o seu cabelo preto pez amarrado para trás em fartos rabos-de-cavalo. Eles olham para baixo, seguindo com os olhos a viatura em movimento. O antebraço de Christopher fica em pele de galinha enquanto a mão húmida de Kate se enrodilha na dele.

A ponte estende-se centenas de metros, com ondas brancas do mar a bater debaixo. Pavões enormes com as asas abertas em leque dão-lhes as boas viandas no fim do túnel floral. Christopher dá um golo da sua garrafa de água, tem dificuldades em engolir. Ele nota que os ombros estreitos da Kate ainda estão tensos.

O hotel é opulento, com chalés suspensos lá no alto

contra o céu azul. Imbondeiros gigantes exibem restaurantes de vários andares, com tubos de elevadores a subir e descer nos seus centros, além de à esquerda e direita ao longo dos seus ramos como um sistema nervoso central.

Dentro do hall principal no rés-do-chão, eles são saudados por rajadas de ar frio, silenciosas e as notas brincalhonas de um jazz Africano millenial. Recepcionistas holográficos vestidos de togas cobalto recebem-nos, dobrando-se até aos joelhos em vénias reminiscentes da hospitalidade encontrada apenas em filmes históricos. É servido Amarula com gelo, junto com uma variedade de comeres: sementes de abóbora assadas, chikanda, banana-da-terra, costeletas de impala fumadas, fatias de melancia e manga. Panos arrefecidos a nitro são oferecidos por robots ovais com rodas. Christopher e Kate desfrutam a sensação das flanelas na nuca. Arranjos florais simetricamente alinhados numa explosão de cor, fazem o casal respirar fundo. Não cheira a nada.

Assim que se refrescam, chegam porteiros para os ajudar com a bagagem. Eles sobem de elevador para o quarto pelos tubos do imbondeiro. A subida é deliberadamente lenta, deixando-os apreciar a beleza do estreito. A água safira lá em baixo faz dançar os raios do sol, espectaculares contra o branco imaculado da praia. Eles chegam ao andar Makumbi e o túnel leva-os na direcção do quarto deles. Corredores transparentes ao nível das nuvens deixam o casal estupefacto, mas são tranquilizados pelas setas índigo néon ao longo do chão.

À medida que se aproximam do quarto deles, empregadas de quarto desaparecem da vista. Christopher tira os binóculos, ainda maravilhado, de pensar que este país antes era do hinterland. Pelas suas lentes, as magníficas ilhas que pontilham a baía aproximam-se. Fauna e flora exótica abundam em cada uma, desenhadas para criar um ecossistema único – oferecendo variedade aos hóspedes.

Uma girafa geneticamente modificada vem cumprimenta-los na varanda. Com o olho direito a girafa espreita o casal curiosa, preenchendo grande parte da janela. Ela mastiga folhagens com grandes movimentos circulares e respira fundo na direcção deles. A esposa dele caminha na direcção do animal como que magnetizada, e sorri. Por um momento, Christopher sente que tem finalmente a aprovação dela.

Uma vedação virtual acende-se – emitindo um alerta – a deixa para ela se afastar. Ouve-se o pio de uma águia-pescadora três vezes e eles viram-se de frente para holograma de bordos lisos que aparece no meio do quarto deles.

"Sr. e Sr.ª Hanover. Sejam bem-vindos à grrrande terra de Mbigula!" Ele abre os braços para demonstrar o tamanho. Ele faz uma profunda vénia.

"Obrigado." responde Christopher.

"Bem-vindos ao Estreito" ele continua num barítono profundo, "fundada em 2030 pelo Conselho de Ministros para o Turismo. Vocês foram postos no andar mais prestigioso – o Makumbi, baptizado segundo as magnificadas nuvens em que se situa. Nós trouxemos-vos o mais perto do céu que pensamos conseguir." Ele pisca o olho, a rir-se da própria anedota. Karen permanece em silêncio.

"Obrigado, senhor." Christopher diz em nome da mulher.

"Trate-me por Sr. Bwalya."

"Obrigado... erhm... Sr. Bwalya. Quanto tempo acha que falta para...?"

"Ah, não se preocupe, Senhor. Segundo o nosso leitor obstétrico AI, a vossa hospedeira está a demonstrar todos os sinais ideais para um parto nas próximas 24 horas."

"Ela vai-se... rec...?"

"Não, Sr. Hanover. As nossas hospedeiras não têm conflitos internos nem sentimentos de dúvida – ou separação. Somos cuidadosos e demos passos para garantir que também não tenham memórias da gravidez. Uma série de ondas electromagnéticas trata disso assim que a criança sai. De facto, a vossa hospedeira em particular é uma das nossas melhores."

Do outro lado da propriedade, num bungalow Cape Dutch branco, uma Alma está a entrar neste mundo. O peito de Malaika está pesado. O Apanha Almas, um médico sem boca de bata vermelha-e-preta, está de pé aos pés da cama. Ele mete os dedos entre as coxas dela, instruindo-a a fazer força. Os punhos dela cerram-se. Explosões agudas escapam-lhe da boca. Os dentes dela rangem uns contra os outros.

Ela sente o familiar anel de fogo na base da sua anatomia. Ela está a coroar, a parte de cima da cabeça do bebé a despontar cá fora. Ela dá um último grunhido bestial e ela desliza para fora, numa pressa atabalhoada. O jorro sedoso e quente flui. Uma rotina que ela conhece tão bem. Outro empurrão e com ele a última massa de carne e vasos que conectaram o bebé a ela durante nove meses é expelida. Está feito. A sua última Alma entregue.

O comportamento dela é angelical, mas o choro é tortuoso. Malaika vira a cabeça e fecha os olhos. Exausta, ela tenta ignorar os berros da criança. Ela pergunta-se como seria ter a pele dela molhada contra o seu peito. Sentir o coração dela a bater contra o dela. Cheirar a sua cabecinha de gorro branco. As mamas dela reagem ao choro dela, começando a inchar.

O Apanha Almas verifica os membros, os dedos e os genitais da criança. O sexo continua a ser o único factor ainda pré-determinado pelas próprias Almas. Malaika tenta ler satisfação nos olhos do Apanha Almas, mas estes piscam-lhe de volta. Entregue à matrona, 19 é levado embora, como sempre, pela porta do não retorno. Ela sabe que nunca voltará a ver a brancura da pele do bebé contra o contraste da sua cabeça de cenoura.

Emoções lançam-na num vórtice de memórias. Na mente dela lampejos de um dia no mercado, a rir-se com a irmã, a brincar e cantar nos jogos de palmas no pó vermelho de Serenje. Ela prepara-se para o zap enquanto o Apanha Almas e a matrona saem da pequena sala de partos. Luz ultravioleta pulsa atravessando-a em dois lampejos e ela perde os sentidos. Pela décima nona vez.

Malaika recupera os sentidos. Ela está de volta ao quarto dela. Limpa, vestida e até oleada. Ela prepara-se para não recordar. Mas por algum motivo, ela recorda-se.

Num jogo das palmas com Elida no mercado. Uma mistura de fumo de carvões malasha e peixe seco a ferver. Instantâneos de miragens derretidas dos telhados de chapa de zinco. A cena parece que tem uma tela de fumo azul, como os filtros instantâneos para fotos no iPhone do Papá.

Papá. Alto como uma torre, ombros largos, pele cor da meia-noite. Um rastro de cheiro a mar sempre, atrás dele. Tecidos e especiarias a transbordarem do seu saco plástico. Intonações estrangeiras a encasacar o seu inglês quebrado, francófono. As suas lendas de lá longe, de portas de não retorno, desdobradas todas as noites depois da hora do tapete de orações tecido a mão. As solas gretadas viradas para o céu, o rosto dele fervorosamente virado para o chão. O motivo era diferente.

Ela lembra-se.

Os sons cacofónicos de música kalindula e hip-hop berram vindos de bancas multicolores. Mulheres em bancos de madeira talhada a trançarem cabeças de cabelo farto. As clientes fiéis delas sentadas em esteiras de caniço, com bebés de cotovelos cinza ressecados a comerem goiabas. Panelas batidas de óleo em torvelinho prontas a transformar o conteúdo de pratos de plástico verdes e brancos. Gordas salsichas húngaras na montra, com indentações ao longo das suas tripas, cobertas de moscas pretas, tão esfomeadas quanto os humanos. Ela recorda-se.

Uma bicicleta com um grande armário de televisão amarrado com cordas de borracha guina ao passar. Uma mulher de mota, vestida extravagantemente em roupa tradicional para um casamento passa a voar na direcção oposta. A pele da senhora está acinzentada pelo pó talco, e tem as sobrancelhas desenhadas como o certo da Nike ao contrário. A peruca dela assenta inatural no meio da testa dela. Malaika recorda-se – ela está a rir-se do espectáculo com Edina. Papá está vir ter com elas. Ele fica extraordinariamente alto na sua agbada branca.

Como o gafanhoto da Bíblia da Mamã, uma sombra rola descendo do céu até elas. Um vento ligeiro anuncia a sua chegada. Todos ficam congelados, como as personagens de um livro ilustrado. As nuvens escuras dissipam-se em minúsculos drones. As máquinas insecto vêm até elas. Uma para ela outra para Edina. Elas sobrevoam baixinho e firmes. Segue-se um scan vermelho. Atravessa o corpo dela de cima para baixo – pausando no útero dela. Ali, acende verde. Cálculos com caracteres estranhos são feitos no meio do ar. O rosto dela é capturado – e ela também.

Uma corrente de vozes emana do útero dela. Questionando, chorando, rindo, ela consegue ouvi-las todas – as Almas que ela libertou. Perguntas de inquilinos passados que uma vez fizeram do ser dela abrigo, para quem ela já tinha cobrado a passagem.

Ela senta-se e poisa os pés para o chão frio. Mãos na cabeça, ela tenta bloquear as vozes, mas elas constelam no torso dela e uma luz brilhante irradia-lhe do âmago do seu ser. Ela já não está consciente do seu ambiente, porque ela e a força dentro dela são unas.

Ela caminha para a porta e, elas ordenam que abra. Porta depois de porta destrancam-se em sequência enquanto ela desce o corredor em grandes passadas. Dúzias de mulheres emergem dos seus quartos, todas em transe. O seu uniforme de vestidos a mamã de capulana e meias brancas fazem com que pareçam reclusas numa prisão. Vozes das barrigas delas juntam-se àquelas na barriga da Malaika. No arco, os Akhan gritam uns contra os olhos – ouve-se o pânico nas suas vozes estridentes porque não foram treinados para actuar contra os activos. As mulheres, possessas, continuam a pressionar avante.

Malaika irrompe dentro do arco e encontra o painel de controlo. O rosto do Sr. Bwalya, programado para hospitalidade calorosa, aparece, sorridente dando-lhe um aviso. Ela encontra um disco que distorce a sua imagem suplicante – grande, pequena, esticada – até uma espiral descendente como água num dreno e por fim nada. Ela manipula a estação de controlo como se soubesse a vida toda.

Luzes vermelhas e sirenes de alarmes guincham por todo o hotel. A terra treme e seguem-se sons de trovão. Incrédulos, os Akhan desorientados carranqueiam contra os monitores da fauna bravia, que lampejam animais colossais a investirem contra recintos vedados – esmagando carrinhas turísticas e de excursões em movimento. A atenção deles está presa ao som de trompetas.

Um casamento de macaco, chuva e sol ao mesmo tempo, acontece na propriedade sempre que nasce uma criança. O horizonte laranja quente deixa entrar raios de esperança. Christopher olha para Kate, a esposa dele. Um nascimento, o elixir de vida.

Ele acaricia-lhe o cabelo vermelho.

19 é trazido para o quarto. Tão perfeito. Tão pálido.

Christopher, trêmulo, recebe o bebé. O bebé dele. Um brilho quente enche-lhe o corpo e acende-lhe o rosto.

Kate está de pé à frente dele, os pés descalços plantados no chão de mármore. Os braços dela dobram-se num envelope perto do peito dela. O pio da águia-pescadora chama a atenção deles para o centro do seu quarto.

Um holograma aparece mais uma vez. Para surpresa deles, a imagem de uma mulher alta, deslumbrantemente preta enche o quarto. A energia dela é tão forte, o filho de Christopher contorce-se nos braços dele. O instinto diz-lhe para chamar a segurança, mas a consciência dele diz não. O bebé começa a gritar, o rosto a transformar-se de pasta de giz para escarlate.

A figura plana, instável e a piscar com estática. Mas silhuetas aparecem detrás dela. Todas as formas e tamanhos de mulher, barrigas redondas, vestidas de panos estampados. Elas olham fixamente para o bebé nos braços dele. Malaika levanta os olhos do embrulho que se contorce, e fixa-os no Christopher.

"19, cala meu filho."

Silêncio.

Stacy Hardy

INVOLUÇÃO

**Tradução do Inglês para o
Português**

Sandra Tamele

Ela reage com susto quando descobre a coisa pela primeira vez. Não é só pela aparência bizarra, mas também pela proximidade.

Porquê, considerando todos os cantinhos adequados, os possíveis buraquinhos escondidos na vizinhança, escolheu logo ela? Para dizer a verdade, ela até podia não ter notado se não fosse a comichão. No princípio, mal dava para notar, mais parecia um zumbido, uma vibração de baixa frequência algures nas suas partes baixas, depois cada vez mais alto, cada vez mais insistente.

Eventualmente ela não teve escolha senão render-se, abrir caminho para a casa de banho, trancar a porta e despir-se. Ela senta-se na sanita, com a tampa fechada, sacode os pés descalçando os sapatos e descasca as meias calças, empina as ancas para a frente e dobra a cabeça. Mesmo nesta posição, rabo equilibrado, pernas abertas, ela tem dificuldade em discernir seja o que for. Não é que a coisa esteja bem escondida, masque a própria forma resiste à fácil definição. Grande parte dela é familiar: a sua cor, rosada-acastanhada, as suas papadas e covas, a sua forma convexa. Todas estas coisas são fáceis de descrever, mas a forma como estão montadas escapa a lógica.

A sua primeira reacção é fechar repentinamente as pernas, vestir-se e fingir que não viu nada. Ela tenta acalmar-se. Respirar. Ela normalmente não se assusta com animais estranhos nem insectos rastejantes. Ela cresceu fora da cidade, numa zona semi-rural conhecida pela sua biodiversidade. A sua infância foi passada a apanhar minhocas e besouros, a perseguir sapos e suricatas. Foi só recentemente que ela se mudou para o sul, uma metrópole costeira. Ela diz para os seus botões que a coisa provavelmente é como ela, um pobre animal rural que se tresmalhou do seu ambiente natural. Nada para se ter medo. No fim de contas, deve haver todo o tipo de espécies e sub-espécies que ela nunca encontrou antes. Só os pequenos mamíferos vêm em inúmeras variedades. Existem roedores, musaranhos das árvores e os eulipotiflanos compostos por toupeiras, ouriços e solenodons; e cada uma destas categorias tem as suas próprias variantes e desvios, a sua encarnação mais pequena.

Quando os panfletos sobre mamíferos e répteis que ela obtém no gabinete do Conselho de Parques local nada revelam, ela alarga a sua busca. É possível que o animal não seja destas partes, não indígena, como dizem os livros. Que seja um alienígena ou um imigrante. Casos como este são documentados toda a hora. Na internet, ela lê estórias de macacos vervet e hipopótamos em miniatura contrabandeados transfronteiriçamente. Uma cobra marinha rara, normalmente encontrada nas águas das Maurícias, acaba dentro de um aquário num restaurante na baixa de Manhattan. Um gato viaja a bordo de um navio de pesquisa e chega ao Antártico.

Ela tenta o Google mas não dá em nada. O problema está na sua terminologia de pesquisa. Ela tem dificuldades em encontrar linguagem para descrever a coisa. É peluda, mas o pelo não é nem comprido nem macio; não é exactamente peludo, mas parece ter um tipo de qualidade felpuda, um tipo de firmeza fofa que pode ser considerada gira sob certas circunstâncias.

Mas, é maioritariamente feia. O pelo está espetado num tufo sombreado a emoldurar um triste rostozinho nu que poderia parecer um cachorrinho se não parecesse tão agrupado, tão terrivelmente amassado. Ela sente dó, uma picada quente na barriga. Não é de estranhar que a coisa se esconda, uma minúscula criatura Frankenstein só, sem protecção contra o mundo exterior.

Ela clica num link e dá por si a olhar para fotos de coelhos: Bugs Bunny ao lado do coelho branco da Alice, e um coelho cyborg fantasma à escala humana de algum filme que ela não reconhece. A última imagem não é de um coelho, mas sim de um homem coberto de abelhas da cabeça aos pés. A imagem está intitulada "Homem abelha". Ela olha fixamente para a foto e a seguir para a legenda.

Algo sobre ela, a combinação, dá-lhe um nó na barriga. Qual é a relação entre as abelhas e os coelhos? E o homem e as abelhas? A legenda deveria sugerir uma nova espécie, um acoplamento de homem e insecto num vibrante enxame humano? Ela pensa na evolução. Caveiras de símios e como os embriões humanos têm um maxilar extra que desvanece dentro do crânio, no princípio do desenvolvimento. Ela morde com força, aperta os dentes contra a memória que surge.

Ela considera que a coisa poderia ser um tipo de toupeira. Parece ser cega ou, aliás, se tem olhos, ela ainda não os viu, pelo menos algo que se pareça com olhos que ela viu noutros animais: os olhos semicerrados dos lagartos, as bolas castanhas fofas das vacas, as contas vermelhas obsidianas da ratazana, olho de gato, olho de peixe, olho de águia, cada um distinto. Mas às vezes o olho não é um olho. Ver sem perceber, por exemplo; a visão é um acto de criação. Além disso, existem todo o tipo de espécies sem olhos. Uma pesquisa rápida revela aranhas lobo de caverna e ouriços do mar e todos tipos de camarões e salamandras. A maioria mora debaixo de água, mas ela tem a certeza que mais vão aparecer se ela pesquisar mais fundo, se ela mergulhar nas cavernas subterrâneas e poços de minas abandonadas que conspurcam a paisagem local.

Mais tarde, olhar para uma ratazana toupeira cega e pelada faz com que ela pense que talvez a coisa seja um híbrido. Ela leu relatórios e viu imagens. Modificação genética está a levar a todos os tipos de permutações. Nas lojas, ela compra cerejas do tamanho de papaias e laranjas com cascas comestíveis e uma fruta nova que combina uma romã e uma maçã. A fruta é cara e acaba por ser uma desilusão. Não tem o crocante da maça nem o pop dos rubis da romã. Ela recorda uma amiga vegetariana que a alertou que já estavam a criar galinhas sem asas e vacas sem membros. Visualizem isto: só a massa central, um torso ou tronco de vaca, grumoso e inerte. Bem pode ser que a criatura dela fosse uma dessas experiências?

Ela pensa em como as pérolas se formam dentro das ostras ou como um tumor cresce num corpo, um punhado de células sem diferenciação. E depois a sua criatura. Ela imagina-a a começar a vida como uma bola de carne radioactiva embalada bem apertada, a levantar-se do fundo de um camião de lixo hospitalar, nadar nos detritos de matéria biológica poluída, pântanos permeados com o lixo descartado de cada processo vivo. Emergindo, de corpo flácido, rosto exposto, arrastando-se no alcatrão, o murmúrio de líquido a deslizar. Os barulhinhos de chupar que faz enquanto se arrasta em direcção a ela...

Ela sente calor e apertos na bexiga. Ela fecha o laptop. Com a cabeça a latejar, ela entra na casa de banho. Mija sem olhar, mantendo as pernas fechadas. Ela escuta o som do seu mijo na água. Senta-se assim um bocado, depois abre lentamente as coxas, espreita para baixo e engasga-se. A criatura parece ter crescido; as suas feições agora estão mais distintas, mais pronunciadas.

Ela sente-se atravessada por um arrepio. Ela rapidamente faz uma bola de papel higiénico, toca-lhe suavemente com o maço. O papel volta molhado, mas não há como saber se é o chichi dela ou a criatura a exsudar líquido. Ela recua. Levanta apressadamente a roupa interior. Puxa o autoclismo, pressionando o puxador até o papel desaparecer.

Ela considera a sua relação com a coisa. O que ela é para a coisa? Uma amiga? Um habitat? Um hábito? Uma casa? Ou um local seguro, um local de refúgio, um sítio quente e reservado fora da cidade, como um buraco ou ninho? Mas se ela é um ninho, então o animal está a nidificar? A criar um local seguro para poder procriar? O pensamento desce-lhe para a barriga, fica lá um momento, depois pare uma dúzia de criaturinhas, minúsculas réplicas da sua mãe com rostos cor-de-rosa enrugados e um tufo de pelo macio e felpudo que lhe esgaravatam a barriga. Ela toca com uma mão na barriga, pergunta-se como vai ser assim que tiverem crescido completamente. Para onde irão? Ela não tem espaço para os albergar. O enclave entre as pernas dela é o único canto verdadeiramente privado do seu corpo, a não ser que se contem os sovacos - mas certamente até estes são expostos inúmeras vezes na actividade quotidiana, no levantar e carregar e chamar a atenção.

Ela está deitada na cama, desperta, os sentidos em alerta máximo. O quarto está repleto de sombras, monstros escondidos debaixo da cama, fantasmas que fazem correr luzes no tecto. As sombras no quarto estão paradas quando ela fixa-as. Mas quando ela desvia o olhar, elas movem-se subtilmente pelo canto do seu olho. Estão a respirar, pensa ela, e fecha os olhos, depois abre-os depois de um instante.

Ela tem a certeza que, assim que ela adormecer a criatura irá despertar, começar um tipo de actividade criatural nocturna. Ela tenta ficar deitada muito quieta, manter o seu corpo inerte. Os seus membros estão pesados e pegajosos do suor. Ela escuta. Por fim, quando nada acontece, ela estica o braço para baixo. A sua mão aos apalpões debaixo do lençol, desliza para dentro das calcinhas dela. Parece um tanto menos assustadora e ela põe a mão em concha por cima dela. Inicialmente é quente, quase temperatura do corpo, mas à medida que ela faz pressão, ela sente-a inchar, ficar quente e distendida. Ela retira imediatamente a mão sem ter a certeza de estar de alguma forma a sufocá-la. Ela espera um pouco antes de voltar a deslizar a mão lá para baixo, desta vez a segurar suavemente em concha de forma que os pelinhos da coisa lhe façam cócegas na palma. Ela adormece assim, com a mão entre as pernas, de boca aberta, saliva a juntar-se nos cantos.

De manhã a cama tem um cheiro fétido adocicado e os lençóis estão húmidos. Ela enrola-os numa bola e atira na roupa suja. No duche ela esfrega-se toda. Ela usa o sabão desinfectante que normalmente reserva para a cozinha. Ela esfrega os sovacos e as mamas. Lava os pés e por trás dos joelhos. Ela esfrega a barra de sabão entre os lábios da sua virilha, deslizando para a ranhura do buraco do cu. Ela esfrega para a frente e para trás até os braços doerem de se esticarem e a virilha arder. Ela repete o movimento até as suas coxas ficarem vermelhadas e manchadas de tanto esfregar. Posiciona o corpo para que a água quente lhe escalde a barriga e corra entre as pernas.

Ela devia agir. Denunciar o animal. Mas a quem? Deveria ir a um médico? É para onde se vai para remover a ténia – mas a criatura dela não é uma ténia. Ela não tem nenhuma indicação de que seja parasítica. Não chupa sustento do corpo dela, pelo menos tanto quanto ela sabe. Ela não emagreceu recentemente nem teve qualquer sintoma indesejável. Não teve queda de cabelo nem unhas partidas para indicar deficiência de vitaminas. Se tanto, ela está mais redondinha desde que a coisa chegou. As mamas parecem mais pesadas e firmes e as bochechas dela têm um novo brilho. Se a coisa não está a alimentar-se dela, o que será que come? A pergunta preocupa-a, a ideia de a coisa comer. Mas claro que tem de comer! Ou então para que serviria a boca? O que ela pensa ser uma boca. A coisa não parece usá-la para fazer sons. É muito calada, de uma forma inatural. Desde a comichão inicial ela nunca ouviu nada. Ela ouve atentamente. O silêncio enerva-a.

Ela conduz várias experiências. Ela molha os dedos em diferentes coisas: sumo de fruta, mel, a efluência sanguinolenta de um bife que compra no talho. Ela desabotoa as calças e enrola as calcinhas baixando-as, desliza um dedo entre as pernas, com ângulo ao longo da superfície da coisa até chegar ao buraquinho da boca dela. Em cada caso, a resposta é a mesma: nada; nem comichão nem tremor, nenhuma alteração que possa medir pela temperatura da coisa.

Ela serve um pires de leite, equilibra-o num banquinho e mergulha as nádegas no líquido fresco. Senta-se assim um tempinho, imóvel, a carne rosada e escura da sua criatura submersa. Por fim, ela põe-se de pé, o leite a pingar-lhe pelas coxas abaixo. Ela examina o pires, mas houve só uma pequena mudança no nível do líquido, provavelmente provocada pelo leite despejado que agora faz uma poça nos azulejos debaixo dela.

Está frio dentro do Museu de História Nacional, silêncio. Ela passa horas a vaguear pelos corredores. Demora-se à frente de leões e hienas embalsamados, um exibidor etnográfico que mostra caçadores Khoisan, passa cobras à deriva em frascos de formaldeído, insectos petrificados sepultados na pedra. As caixas dos exibidores são gigantes aquários esvaziados da água. Ela olha fixamente a mandíbula predatória de um celacanto, o antigo peixe do fundo do mar que se acreditava estar extinto até um cientista o ter encontrado na foz do rio Chalumna. Os locais riram-se da descoberta – como podia algo que sempre existiu e viveu entre nós, ser descoberto? Ela passa os dedos pela superfície da caixa de vidro. Olha fixamente para os olhos do peixe, a sua boca voraz, traça a urgência abocanhadora dos seus dentes. Sente um frio na barriga com o aproximar de um guarda do museu. "Precisa de ajuda? Procura alguma coisa específica?"

Ela abana a cabeça. Só estou a ver.

A presença do guarda deixa-a nervosa. Ela imagina que a sua criatura seria um achado e tanto para um lugar como este – um instituto ou centro de investigação. Pela primeira vez ela pensa no valor da coisa. Ela vai até ao balcão de informações e pergunta os preços dos exibidores de animais raros. O coelho ribeirinho ou o lobo Etíope embalsamados, ou o lémure anão de orelhas peludas de Madagáscar. A mulher não entende a pergunta. Ela é apenas jockey das informações, formada para dispensar brochuras e apontar zonas no mapa. Ela aponta para a moça na loja de raridades.

Ela não tem interesse nas raridades, mas caminha na direcção indicada para não levantar suspeitas. Ela compra uma garrafa de água e um morcego de plástico em saldo como parte de um foco especial sobre mamíferos que habitam cavernas. Uma vez lá fora ela pergunta-se se escolheu o morcego porque via uma afinidade entre ele e a coisa dela. Ela pensa no seu corpo e nas suas cavernas e dolinas.

Ela resolve manter a coisa em segredo. Não contar a ninguém, certamente ninguém envolvido no estudo da ciência. No fim de contas, não parece estar a fazer nenhum mal. Exige muito pouco. Não precisa de ser alimentada e nem faz barulho. Tanto quanto diz respeito ao resto do mundo, nem sequer existe.

Como que para provar a ela própria, ela liga para um homem que conheceu numa festa quando chegou na cidade pela primeira vez. O homem, se ela recorda correctamente, foi apresentado como alguém que trabalha em conservação de fauna bravia, algum tipo de investigação sobre espécies ameaçadas. Ela disca o número e diz, "Não sei, estava a pensar em ti." Ele parece lisonjeado. "Que tal um copo um dia destes?"

Ela tem tido pouco contacto social desde que descobriu a coisa e teme que possa notar-se de alguma forma, ser visível para os outros. Ela veste um par de jeans pretas velhas que mantêm tudo bem arrumadinho sem pegar muito na pele dela, perto da linha das calcinhas. O restaurante onde se encontram está cheio. Eles encontram uma mesa, escondida num canto e olham de frente um para o outro. Pelo que parece, ela estava enganada sobre o ramo de especialização do homem. Sim, ele trabalha em conservação, mas ele está mais preocupado com legislação. O seu contexto é jurídico. Ela tenta manter o foco enquanto ele lhe conta um caso de estudo em que está a trabalhar, examinar como acordos comerciais recentes com empresas navais chinesas afectaram a população de perlemoen nas águas locais. Ele fala-lhe dos apertos das comunidades pesqueiras locais, os minúsculos barcos de pesca a motor que carregam piratas, gangues armados que gerem o comércio ilegal de perlemoen.

A palavra "pirata" chama a atenção dela. Ela sente um calafrio. É como se o cenário ou o homem ou o que ele disse tivessem incomodado a coisa. Ela não sabe como sabe disso. Não é tanto um feeling, mas um tremor repentino, um tipo de comichão puxão que lhe faz deslizar os braços sobre a barriga e abraçar-se apertado. Ela contorce-se na cadeira, super consciente do som de chupar que o rabo dela faz na almofada de vinil do assento. Eventualmente a pressão é demasiada. Ela desculpa-se e corre para a casa de banho.

O rabo dela abraça a sanita, calças pelos tornozelos. As calcinhas estão ligeiramente húmidas não exactamente molhadas, não como se ela tivesse feito chichi nas calcinhas, mas pegajosas, banhadas por uma substância viscosa. Ela tem a boca seca. Podia haver algo de errado com a criatura? É assim que sangra ou talvez alguma forma esquisita de chorar?

Ela sente uma emoção avassaladora. Começa na barriga e radia até todo o corpo estar cheio de coisinhas confusas. Ela abaixa-se e faz uma concha suavemente sobre a coisa. Ela começa a acariciar, primeiro muito devagar, depois mais rápido.

A coisa fica tesa ao seu toque. Ela sente a sua boca quente abrir, a excreção líquida, saliva e não sangue. Reveste-lhe a mão, fiapos e gavinhas que parecem puxá-la mais para o fundo. Ela desliza e mete um dedo, só um e depois outro. Ela enraíza à volta, a coçar a parte de cima, os lados macios dão passagem e se avolumam quando mexidos. Ela empurra com mais força, descobre um barulho engraçado feito pelas paredes, como um esguicho. Ela começa a rir. O corpo formiga. Calafrios na pele e tremor no maxilar. A coisa puxa e aperta, num espasmo aperta-se num nó pesado e a seguir relaxa. Tudo se torna indistinto. O ar está quente e espesso. Ela senta-se na sanita a respirar. A coisa está quieta. A barriga dela está lisa e relaxada. Ela levanta-se lentamente, debaixo dela as pernas trêmulas, limpa-se e limpa a calcinha com papel higiénico. No pequeno lavatório de loiça, ela evita o espelho, lava as mãos duas vezes, seca-as debaixo da corrente de ar quente de um secador higiénico electrónico.

À mesa, o homem está a tamborilar os dedos. Eles sentam-se em silêncio. Ela está certa de que tem o rosto ruborizado, e ela olha para o chão para evitar-lhe o olhar. Por fim, ela levanta o olhar e pergunta: "Tens animais de estimação?" Ela não sabe o porquê desta pergunta.

Ele abana a cabeça. Ele não gosta da ideia de animais serem domesticados. Ele diz algo sobre corromper o espírito do animal.

Ela diz: "E baratas?" Empina a cabeça e observa o

rosto dele. Obviamente ele não percebeu. Ela tenta explicar que já não existe fosso urbano e rural, nenhuma natureza pura, incorruptível. Ela pede-lhe para tentar imaginar os cães antes de terem sido domesticados. Ou ratazanas na selva e pombos nas florestas. De todos, os pombos parecem os mais inimagináveis para ela. Parecem tão estúpidos e plácidos.

Ela espera que a coisa dela nunca se torne assim. Dócil e dependente. Ela gosta que seja selvagem, da sua inquietude. Como se curva debaixo dela, aparentemente com medo da luz, do ar pesado. Ela desliza a mão entre as pernas debaixo da mesa. Tem as coxas quentes. Quando o empregado de mesa vem ela pede bife. O homem pede peixe grelhado. "Não como carne vermelha," diz ele, como se tivesse de se explicar.

Ela observa-o fatiar cuidadosamente o seu peixe e tirar as espinhas. A carne é pálida e às lascas, cede facilmente. A espinha sai limpa. Ele impala uma garfada, leva até aos lábios. Entre mordidas ele fala sobre problemas com a indústria naval chinesa. Certas práticas: tubarões presos nas redes, as suas barbatanas arrancadas, atirados de volta, ainda vivos, para afundarem como pedras. Ela observa-o a comer e pensa que os tubarões não têm espinhas, só cartilagem. O pensamento deixa-a enjoada ou pelo menos parece enjoo, aquele mesmo cambalear. O cheiro da comida do homem de repente torna-se esmagador. Ela consegue ver o maxilar dele a mexer-se. Um barulho ensurdecedor à volta dela: o som afiado de metal e porcelana, vozes esganiçadas.

Fora está a cair chuva miúda. Ela recusa a boleia oferecida pelo homem. Ela quer caminhar, estar cá fora, sentir o ar e a água no seu rosto. Ela anda rápido. À distância, ela consegue ver as silhuetas das gruas no porto contra o céu, as luzes dos navios distantes mar adentro. O vento corta-a e sopra o cabelo dela contro o seu rosto. Quando chega a casa ela está encharcada.

Ela decide não voltar a ligar para o homem, tira-o da sua cabeça. Nessa noite, ele continua a voltar para ela. Ela pensa no prato de peixe à frente dele, de ele a comer e depois a falar, dos lábios dele a abrir e a fechar. A espinha deixada no canto do prato dele, as espinhas e os bordos serrilhados. Ela entra no quarto e despe-se lentamente. Ela senta-se no meio da cama e abre as pernas. O coração bate rapidamente enquanto grandes manchas vermelhas se espalham pelas coxas dela. Ela respira, estica a mão para baixo e sente um tremor. O estímulo aumentou tanto que era como se as suas entranhas fossem minúsculos animais, a roerem e a arranharem as paredes do corpo dela. Ela corre os dedos pela pele da criatura. A boca dá a sensação de uma caverninha húmida ao toque. Ela está com ganas de enfiar o dedo lá. Ela desflora e abre os lábios, subitamente muito molhados, lubrificados que o seu dedo indicador desliza para dentro facilmente. A coisa inteira fende-se à medida que ela a penetra, entra com três dedos, empurra mais fundo, a balançar e a empurrar.

Nesse momento ela se dá conta que a sua compreensão do animal tem sido muito limitada. O que ela tomou pelo corpo, o grosso da coisa, era na verdade apenas um exterior. Enterrado mesmo por baixo disso está uma inteira extensão diferente, um animal encovado ou virado do avesso. Não está claro se é um mamífero ou réptil ou anfíbio. Até podia ser um peixe ou uma planta. Não tem ossos, ou talvez ela não os consiga sentir. Os seus músculos, ou o que podiam ser músculos, estão enroscados em espasmos que formam nós e soltam à medida que a mão dela os acaricia. A pele da coisa está quente e molhada, uma membrana mucosa coberta por uma fina camada de limo. Não faz nenhum barulho, mas à medida que ele mete mais fundo ela nota a vibração, baixa e metálica, como o zumbido dos insectos, um zunido suave num timbre que deveria ser imperceptível para ouvidos humanos.

Ela escuta atentamente, tenta imaginar a forma daquilo que está dentro dela. Ela navega como um morcego a enviar sinais. Continuaria indefinidamente? Terá muitas partes, câmaras, como um coração? Será contígua, ou as suas partes estão cortadas das outras partes, seladas, inatingíveis e silenciosas? Serão as partes da coisa sólidas, definidas, ou simplesmente assumem a forma que habitam, como os líquidos? Nesse momento ela pensa que está a cheirar a coisa, um cheiro a peixe, ou algas, ou a manhã. A sua capacidade de comparar nada com nada está a escorregar-se-lhe. Não há nada para comparar. Elas deixaram de ser duas criaturas separadas.

Tariro Ndoro

A LENDA DAS DUAS IRMÃS

Tradução do Inglês para o Português

Sandra Tamele

Ela entra desorientada. Não foi assim que planeou aqueles anos todos. Era para ela entrar triunfante no Grande Rambouillet, mas em vez disso sente-se tonta. Deve ser do calor, o contraste entre o exterior abrasador e o interior fresco. Mas ela finalmente sente-se aliviada. Está aqui finalmente.

O pessoal desdobra-se para agradá-la quando atravessa as portas do lobby. Ela tem o ar confiante, de Dinheiro e Importância. Mais, ela tem um corpo como da Beyoncé. É o que ela diz para os seus botões. Pernas para dar e dar, curvas nos sítios certos. Curvas que a mãe dela tentou esconder debaixo de camadas de roupa larga, mas não se acende uma lamparina para pôr debaixo de um cesto.

"Posso ajudar com as malas, madame?" Ela quase tinha esquecido que carregava algo. A esta hora está demasiado cansada para notar as cargas que carrega, mas os porteiros quase tropeçam nos próprios pés para chegarem até ela. É engraçado como usam um nome diferente para te chamar quando o teu cheiro é extravagante e as tuas roupas parecem feitas à medida.

"Certifica-te sempre de ter um aspecto apropriado, mesmo quando não tens para comprar coisas caras" costumava dizer a mãe.

"...chamo-me Tomescu, sou o gerente do Grande Rambouillet, o estabelecimento mais fino em Victoria Falls. Já escolheu uma suite, madame?"

Ela ouve o que parece ser uma zombaria, mas não está ninguém perto dela.

"A Celestial" diz ela instintivamente, notando o vacilar no rosto dele quando ela fala, mesmo se ele recupera tão rápido que se ela não estivesse a olhar não teria visto.

"Sim, madame. Muito boa a escolha. Posso acompanhá-la até ao elevador?"

Mas ela está sedenta… e faminta. Não consegue lembrar quando foi a última vez comeu.

"Penso que primeiro quero comer" diz ela e ele desvanece-se contra o pano de fundo, certificando-se de não lhe dar as costas como se ela fosse realeza, mas sem se demorar um momento mais do que necessário.

"Há! Sempre pronto a agradar esse Tomescu. Ele veio para aqui depois do Jameson em Harare com um cheirinho de escândalo ainda nos calcanhares. Roubou dinheiro ou coisa parecida. Ele tenta o seu melhor para dar duzentos por cento, enganando-se ao pensar que vão adorá-lo mais por isso, mas Paizinho preferia ter empregados infames. Era mais fácil chantageá-los."

Ela procura a voz novamente, mas não a encontra no foyer chique onde todos parecem caminhar com um propósito. Uma multidão emerge de uma sala de conferências, e ela é varrida para dentro do restaurante, o seu destino inicial. Ela decide sentar-se ao fundo num canto.

Hoje em dia eles respeitam-na, pensa ela, enquanto entra no restaurante – que eles continuam a chamar Dancing Tiger – de ombros para trás, mantendo a postura apesar de estar cansada e tonta. Ela passou horas e horas a carregar as enciclopédias do avô na cabeça, na casa solitária que a mãe construiu em Greystone Park. Subir e descer, subir e descer, subir e descer até os ombros dela esquecerem de descair e as ancas dela lembrarem-se de gingar. Saber comportar-se é importante. Ela pensa no adágio e dá uma risadinha para dentro, ainda a actriz, ainda a menininha a vestir o vestido da mãe e perguntar, "Estou bonita?"

A empregada de mesa encontra uma mesa para ela e ela volta a rir-se para os seus botões. Como dantes sentava-se toda desajeitada, sem saber em que copo devia beber, perguntando em voz alta qual era o prato mais barato no menu, e ainda por cima (que vergonha!) entregar ao empregado de mesa dólares sujos, amarrotados pelas horas no bolso dela, em vez de esperar pela conta. Agora ela dá gargalhadas pelas "comidas locais" inflacionadas pregadas aos turistas.

A partilhar o canto com ela estão alguns neozelandeses, aqueles do tipo mochileiros do bem, mas ela nota pela forma como tratam o empregado de mesa que o do bem não passa dos perfis deles nas redes sociais.

"Como adoro assombrar gente dessa" vem a voz de novo, e desta vez ela tem a certeza — certeza que apanhou uma insolação ou coisa parecida (provavelmente a "ou coisa parecida").

Mulher sentada solitária num restaurante. Ela atrai olhares. Do tipo de homens de meia-idade que vão para restaurantes de hotel para se sentirem importantes. Hoje a postura dela é de realeza. Tem de ser. Senão os homens em viagens de negócios lançam-lhe um olhar e acabam por confundi-la com uma mulher da má vida.

Ela descobriu isso nos primeiros tempos. A forma como se atiravam a ela como moscas tsé-tsé aos currais de gado; tendo sido criada abrigada detrás de um portão eléctrico preto, ela pensou: eles adoram-me. Até um homem lhe perguntar quanto cobrava por hora. A seguir as rodinhas no cérebro dela giraram e giraram e chegaram a uma resposta que não lhe agradou. Então ela senta feito realeza, finge estar a olhar de cima para os seus súbditos… e as moscas tsé-tsé não se aproximam.

A ironia: que a mãe a trancara numa torre. A mãe tinha medo do corpo dela, da sexualidade dela, ela tinha medo que a grande roda da história girasse e se repetisse. Então trancou a filha. A torre era um muro cinzento, invencível como a Muralha da China. Ela só saía do seu recinto nos dias da semana quando a levavam de carro para a escola, e aos domingos quando ela vestia os vestidos que menos lhe ficassem bem para ir para a igreja.

"Nunca deves levar os homens a pecar" disse a mãe enquanto atirava roupa para cima da cama, ainda determinada a vesti-la como se ela tivesse cinco anos de idade. Foi assim que ela aprendeu que corpo de mulher é coisa do pecado; então cobriu-se de cores como castanhos e cinzas e pediu ao barbeiro para cortar-lhe o cabelo tão curto até parecer rapaz. A mãe aprovou.

O que a mãe não aprovaria, se soubesse, é que aos dezasseis anos, a filha ia à televisão como as traças quando descobrem a luz. Que a filha dela descobriu que estava a ficar uma mulher, e que mesmo com o pensamento de pecado no fundo da mente, ela descobriu que gostava de Pretty Things. E depois, o Next Top Model da Tyra Banks. Ela despachava os TPCs de física para colar os olhos à TV para aprender sobre crimes da moda e alta costura; e quando pegou nas enciclopédias do avô não foi para aprender sobre histórias antigas como dantes, era para bater o corpo dela até a grande submissão.

No Dancing Tiger, estão a tocar Ladysmith Black Mambazo como música de fundo, como nos lobbies e aviões antes da descolagem. Porque LBM tem o monopólio.

"É agora" pensa ela, "reivindicar a minha herança. O hotel do meu pai." E ao contrário de todos os outros hotéis em que ela praticou, desta vez ela consegue escanar cada superfície do estabelecimento - como se já fosse dela. "Então este é o hotel que o grande Daniel Changaira comprou por três dólares e meio" pensa ela, desejando ficar impressionada.

Mesmo quando ela olha à sua volta no restaurante, ela vê que a alcatifa não é aspirada há algum tempo, e que os clientes parecem estar aborrecidos. Moscas aterram na comida antes de ser comida.

"Estão a desleixar-se ultimamente" diz ela, e vem-lhe à cabeça que falou um pensamento que não era seu. Algumas cabeças viram-se, mas ela continua sentada muito direita, sabendo muito bem a importância de fingir até se tornar natural.

Daniel Changaira comprou este hotel por três dólares em 1982 porque o velho mulungu que era dono estava cansado de um lugar que lhe recordava a morte. E como é que ela soube do nome Daniel Changaira? Por curiosidade. Porque quanto mais tempo se escondem coisas dos filhos, mais eles querem saber. Porque existe um espaço em branco na sua certidão de nascimento que diz PAI INCÓGNITO. Porque todos na turma dela tinham um kumusha e um mutupo, e ela também queria uma casa tradicional e um nome tradicional. Apesar de saber que ela nunca os usaria, ela simplesmente queria saber.

Porque cresceu como filha única e passou todo o tempo a assistir programas de polícia na Studio Universal e a ler capas moles da Nancy Drew que não era estranho ela vasculhar as coisas da mãe quando ela estava a trabalhar fora, ou em viagens de trabalho e em funerais ou velórios.

Ela encontrou o nome entre diários antigos, cartas antigas, quinquilharias antigas. E o nome fê-la procurar na internet… que ainda era novidade na altura, mas ela era como a Nancy Drew, então quem ia impedi-la? Ela matutou um plano, e começou a fazer dieta, a exercitar-se, a gingar pela casa com livros pesados na cabeça (mas só quando a mãe não estava).

"E o que vai pedir, madame?"

Ela sente-se tentada a rir novamente – ela ainda se sente como uma impostora. Ainda se recorda de ter seis anos de idade e fingir ser o seu primo-irmão, e todas as tias e tios a saberem que na verdade era ela.

Uma mulher sentada solitária no restaurante. Pessoas a olharem, depois de todos estes anos, e ela ainda finge que é a Nancy Drew, mas desta vez é o hotel certo, o momento certo, e o coração dela guina como os barcos na maré alta.

"Crepe de frango" diz ela, sem olhar para o menu. Sem olhar para os preços da forma que costumava olhar naqueles primeiros tempos. Foi o que fez com que fosse apanhada uma vez. Quando o maître d' chamou a polícia porque pensou que ela estava no engate. "Crepe de frango para um, sai já" a jovem empregada de mesa diz antes de afastar-se a desfilar, deixando um rasto de perfume barato.

Ela está novamente só, ofegante como um peixe fora da água, honestamente tímida pela primeira vez em anos e anos.

"Tenho uma pergunta," ela dá um gritinho para ninguém em particular – feliz por não ser branca e portanto não se notar que corou. Ela sente novamente que a pergunta não é dela.

Era uma vez uma mulher que queria um filho, mas não conseguia fazer um sozinha. Ela sonhou uma família cheia de risos e calorosa. Uma família tão diferente daquela em que ela cresceu, ela acreditava em contos de fadas. A estória é assim, ela entrou no Grande Rambouillet quando ainda só tinha dezasseis anos. Ela perdeu os três com um homem mais velho, reza a lenda; ele era tão belo quanto um vendedor de banha da cobra. Reza a lenda, ninguém sabia do que tinha acontecido até as águas rebentarem numa noite encharcada de chuva. Ela teve um filho, mas não uma família. Sabendo o que mundo fazia com mulheres sozinhas no mundo que tinham filhas, mas não tinham marido, ela levantou um muro de pedra, reforçado com betão e contratou babás e jardineiros e guardas e cães de guarda para proteger a sua bebé; mas de nada valeu. Ela deu à filha o nome de Ropafadzo e rapou-lhe a cabeça, determinada a fazer com que a história não se repetisse.

"Crepe de frango para um, com acompanhamento de molho teriyaki" a empregada de mesa voltou, alegre, jovem. Vestia uma saia curta preta que lhe agarra o corpo como um cirrípede. Voltar a ser jovem e despreocupada assim... mesmo assim, a pergunta deve ser feita.

"Obrigado, está perfeito, mas tenho uma pergunta..."

Desta vez a frase é mais arrojada, mais alta, recusando ser silenciada.

"Eu disse, tenho uma pergunta." As conversas silenciam-se e todos olham para ela. Um sorriso apologético da empregada de mesa e, e a seguir uma máscara condescendente de uma madrasta a perguntar a um bebé o que quer: "Sim madame, como posso ajudar?"

"Estava a perguntar-me, se, er, uma moça chamada Chenai Chiranga trabalhou aqui?"

A seguir o copo estilhaça-se e o restaurante fica parado como gelo.

Era uma vez um homem que queria tanto o sucesso que matou a própria filha e deixou o corpo dela num dos quartos do seu hotel. Diz-se que tinha o coração mais frio do que o tempo em Manica Land e, apesar dos murmúrios em Vic Falls (e redondezas), o homem nunca foi para a cadeia porque conhecia alguém no sistema, porque ele usa juju contra os investigadores… porque, porque.

Num quarto de hotel, uma mulher descobre que ela está deitada numa cama macia com o rosto para baixo. O ar condicionado zune no fundo, e ela pergunta-se como é que ela chegou ali. Certo. Ela estava no Dancing Tiger. Ela fez uma pergunta que não era dela. O quarto começou a girar e, alguém ajudou-a na mesa, o flutuante Tomescu aparecendo-lhe no cotovelo para a acompanhar. Mas onde, onde estava ela agora? A Suite Celestial: era essa a pista. Era uma caça ao tesouro: a primeira pista, um nome; a segunda pista, um hotel – mas mais importante, este quarto, este hotel.

Ela levanta-se e procura o quarto, ignorando a dor de cabeça que ameaça abri-la em dois. Ela assusta-se com o seu reflexo no espelho e o rosto que lhe devolve o olhar não é inteiramente o seu próprio. Similar, sim, mas não dela. Pai-zinho diria, "Eles estão a desleixar-se ultimamente." Desta vez o pensamento que não é dela não está na cabeça dela, nem a jorrar da boca dela sem permissão. É falado, quase naturalmente, mas pelo rosto inatural no espelho, que é similar aos seu, mas não o dela – as mesmas maçãs do rosto, sim; a mesma covinha, sim; mas nenhuma cicatriz perto da orelha esquerda. Tão parecida, podiam ser... irmãs. Este é o último Pensamento Próprio de Ropafadzo.

Paizinho diria, "Eles estão a desleixar-se ultimamente" e abanaria a cabeça. Mas não se deixem enganar; desde o dia que Paizinho trouxe o Ram do Tom Feldman por três dólares e cinquenta e nove cêntimos em 1982 – tudo o que ele tinha no bolso, até ao dia que um coração doente e um coração partido finalmente roubaram-lhe a vida em 2003, ele acusou o pessoal do hotel de "desleixar-se ultimamente". Ele precisava de algo para reclamar.

Talvez porque ele foi o primeiro preto proprietário do hotel e, sendo o primeiro, estava convencido que o pessoal desautorizava a sua autoridade simplesmente por estarem habituados a servir brancos. Mas não deixem que o meu comentário sobre Paizinho comprar o Rambouillet por três dólares e meio faça com que pensem que seja um estabelecimento barato, oh não! Pelo contrário. Tom Feldman estava simplesmente com pressa de deixar o país depois de a esposa e a filha terem morrido no que ele chamava Guerra do Mato da Rodésia.

"Estou pronto para partir Danny," confidenciou ele a meu pai, "de malas aviadas e pronto. Só preciso de um comprador para este lugar maldito. Demasiadas memórias, sabes?"

Claro, ele era um homem mediano forte, rabugento e calado, mas se querem saber, eles estavam sentados num bar, e queridos, as pessoas contam umas às outras todo o tipo de coisas depois da quarta rodada. Todo o tipo. Posso mostrar-vos exactamente em qual banquinho do bar Paizinho sentou quando fingia ser um bom ouvinte.

Oh, ele caiu com tudo sobre aquilo, Paizinho, fazia todas as perguntas certas. "Como elas se chamavam? Quantos anos tinham? No sétimo aniversário, de verdade? Haikona!" Ele abanou a cabeça de forma tão convincente que até eu acreditei que ele sentia muito por Feldman. Por fim, Tom Feldman levantou-se, cambaleou até ao escritório dele e regressou ao bar com dois documentos na mão: os títulos de propriedade do Grande Rambouillet Hotel e um Contrato de Compra e Venda. Paizinho deve ter ficado chocado por o Velho Feldman guardar isso no escritório, mas como eu disse, o homem estava com pressa de partir.

Paizinho abanou a cabeça e disse algo sobre como não podia ficar com a herança de um homem daquela maneira. Feldman insistiu. Paizinho encolheu os ombros, disse "Bem, já que insiste," a seguir assinou a página escrupulosamente e tirou do bolso os dólares em notas e moedas.

"Só uma condição" disse Feldman, antes de entregar a caneta ao barman para assinar como testemunha, "não paguei ao pessoal este mês, então terás de socorrê-los… e há a questão dos impostos."

Paizinho tentou não ter o ar de quem foi aldrabado. Deve ter custado. Quero dizer, já viram o nosso pai? As pessoas podem não acreditar, pela forma como age fanfarronice nas reuniões da turma, mas ele adorava fazer de conta que era falido. Olhos juntos, cenho franzido, mãos estendida, blá blá blá blá. Mas sabe-se que ele está sempre a chorar por alguma coisa – lágrimas de crocodilo. Ele é o aldrabão em pessoa.

Uma lista das pessoas que o nosso pai aldrabou: as minhas madrastas, as cinco todas. Em 1986 ele começou um esquema em pirâmide. Em 1987 acabou na cadeia por causa disso. Duas semanas depois saiu nas calmas como um homem a passear na praia. Mas uma coisa que o meu pai nunca fez foi matar-me para juju. A minha morte foi um acidente, mas ninguém nunca acreditou nisso.

Ropafadzo vê o rosto no espelho falar sem abrir a boca e fica repentinamente tonta, repentinamente cansada, aqui na Suite Celestial. Ela está presa no cenário de um filme de Nollywood com o seu vaudeville exagerado, mas a verdade é outra mais sinistra.

"Mana, mana." Para onde foste?

A irmã sai para o ar livre pela primeira vez em muitos anos, o sol a iluminar-lhe o caminho. Ela está livre, livre! Fora alguns suspiros de alguns cotas, todo o hotel parece continuar a vida feliz da vida, os varredores varrem e o cabaré canta como se o Titanic estivesse a afundar-se de novo, e e e, mas ela está finalmente a partir, e ela nunca mais vai ter de se preocupar com assuntos do hotel.

Ropafadzo já não se consegue mexer. Agora ela é forçada a assistir o pessoal da limpeza de manhã. O Rambouillet pertence inteiramente a ela e mais ninguém, mas ela está sozinha e nenhuma outra voz fala com ela. Ela chora e grita e tenta mexer-se, mas está presa entre prata e vidro. Às vezes ela vê reconhecimento nos olhar das senhoras da limpeza, seguido de gritos, correria e, depois o rosto arrogante do Tomescu. Mais ninguém vai gerir o Grande Rambouillet enquanto ele estiver vivo... a não ser que um hóspede durma na Suite Celestial. Mas ninguém nunca dorme.

Uma vez houve uma mulher que queria tanto, mas tanto a sua herança, que acabou na boca do leão. Eles dizem que ninguém dorme em paz na Suite Celestial. Uma mulher queria tanto, mas tanto possuir o que tinha sido uma vez do seu pai que seguiu uma voz vadia até um palácio distante, e acabou presa na sua torre mais alta.

Tariro Ndoro

XIHITANA XA VAMAKWAVU NA MAKWAVU

Vutoloki hi lirimi la xichangana mutoloki

Mabjeca Tingana

Yenakati atitwa akhunguvanyekile loko anghena. Hayiwona makungu ateke abzala kusukela malembe hi nkwawu. Yenakati atava a humelela loko anghena Ramboillet kukulu, kambe handle ka lesvo yenakati atitwa ni nzhululwana. Kumbe xana angava kuhisa, akutshika hi hambanisa amumu ni xirhami xinga hundza. Kutani, atitwa atshunxekile yenakati.

Avatirhi vatihinta hi kufela kumutsakisa loko ahundza nyanghweni wa gqeke. Yenakati ani xiyimo xakutidumbha akuveni male, nikutinyika lisima. Handle ka lesvo, animuzimba waku fana niwa Beyoncé. Lesvo hi lesvi yena atihlayaka habzakwe. Minenge yi fambaka ni kufamba, minkova ndhawini ya yona. Minkova leyi nyini wa wena ananekeke hi mpahla ya kuyanama. kambe wena avusvikoti akuhlayisa gezi hansi ka mugqomo.

"Sinyora, niya teka mabokiso ya wena xana?" yenakati ave akhohlwa svaku arhwale minchumu yinwani. Se lesvi akarhale ngopfu svinene hi kuva angazanga asvitsumbula svaku ani nhundzu, kambe lava ava rhwalile avali kusuhi ni kutitlirinya kuva aku vata fika lana anga kona. Svita nikuhlekisa lesvi aku vitanisaka xisvona,loko uni manyunyu na mpahla ya wena yi rhungiwe svaku ingi yo hundzisa mpimu.

"Minkarhi hinkwayu kulaveka aku titiyisa, hi kuveni xiyimo hi kuyanela. Hambe aku loko wena ungasvikoti aku hakela, hi minchumu ya kudura." Nyini wa wena atala aku hlaya lesvi !

"…avito la mina ni Tomescu, ni nwinyi wa Rambouillet, nsimeko wa kuyapsa Victoria Falls. Sinyira, se ukhetile yindlo xana?"

Yenakati atitwa svaku ingi i xipoyilo, kambe akuna munhu kusuhi na yena.

"Le tilweni" kuhlaya yena hirintumbuluku, hi kulava aku tiva svaku kungaveni kukanana nakuve yena ayenca lesvo. Ina anga zanga amuvonile loko anga cuvukanga.

"Impela Sinyora. Ave hi ndlela yinene utiveke aku kheta. Ningaku heleketa kuya fika ka levhadori?"

Ave atwa torha... ni ndlala. Yenakati angaha rimuki svaku atava aje hi nkama muni.

Ingi kuta sungula mina nidla, bzela yenakati na yena atiluzaka hi lendzeni, uva utivonela aku unga kombi nhlana yenakati ingi wova vuhosini. Kambe kungana kuhlwela loko svili sva kukombeleka.

"Aaah ! anikuhiseka ngopfu svinene kuva aku atatsakisa Tomescu. Yena ave ahiyendzela hi Jameson kuta tlhasa Harare ni sema, na a tale hi tingana ka svirhendze svakwe. Kumbe xana angava a yive male, svaku fana nisvolesvo. Yena ayenca habzakwe svaku kumbe anga tshuka amunyikanyana madzanamambirhi ya tipurusetu, nha apimisa ha bzakwe svaku angatshuka arhandziwa hi mphazamu hi ndlela leyi, b´ava abeje aku chimisa vatirhi. Asvahayanpsa aku adzukisiwa."

Yenakati hi kuphindha alavetela hi rito, kambe angali kumi hi phangu la manyunyu, lana vanhu votala va fambaka ingi vovani nkongometo. Axitshungu xihlokoloka axilawini xa nhlengeletanu, yenakati ava atekiwa ayisiwa vujelo, nkongometweni wakwe wunene. Ava abeja aku tshama yece ndhawini yakwe hile kule.

Yenakati namuntlha apimisa svaku wahloniphiwa, loko atava anghena ka vujelo, vona vata va vita xicino xa yingwe – ni makatla ndzhaku, kungana wufuta. Hambe svaku yenakati akarhele atlhela aveni nzhululwana. Ave ateka ankama wukulu na arwhale nongavutivi ya kokwana wakwe nhlokweni, ka munti lowu nyini wakwe anga yaka Greystone Park. Hile henhla nile hansi, hile henhla nile hansi, hile henhla nile hansi kuya fika lana makatla makalaka mangati khotsanga, xisuti xakwe ni masenge svive svirimuka ni kuthempfama. Kuveni matshamela i nchumu xa risima. Yenakati apimisa xihlaya-hlaya, ava ahleka hi ndzheni, na nwhanyana agqoka nkhancu wa nyini wakwe avutisa:

"Nisasekile xana?"

... ave akuma tafula kuva aku atanyika ndhawu yenakati, hi kuphindha atlhela ahleka. Hi lesvo yenakati siku rinwani aveni matshamela ya kuhuma ndleleni, nha angasvitivi svaku akopo yakwe atava ari yini kuva aku ataphuza, ava aba huwa svaku atava svakuja muni svaku kala svinga duri... hi kulandza adzedzemela!

Ava anyikela ni male ya nsila ka muphameli, yi tshameke nkama wukulu yitlhela yi funyekela phakitini lakwe. Kutlula aku yimela xikwhama. Svosvi ahleka hi kola ka svakuja sviduraka hi kola ka vavakachi.

Kuni vanwani vavakachi vaNewozilandiya vapaluxaka tisimu ta wena, kambe yenakati angahlaya habzkwe lesvi va mukhomisaka svona muphameli. Hi kuva avunene bza munwani lini risima ngopfu ka ximanguvalawa.

" Nisvirhandza ngopfu kuvachavisa lava" lesvi rito ritlhelaka rivuya, se lesvi yenakati anikutwakala nakona, ka loko kunene atava ayamukelile hi ntsengo svakulava aku fananyana ni lesvo.

Wansati wa nyokana loko atshamile vujelweni. Anikuvitanisa ka mahlo yakutala. Ka svifanyatana sviyaka ka vujelo la mawatela, kuva aku vatatitwa vari vanhu vanene. Namuntlha ninivukulukumba ni xiyimo.

Vavanuna va yendzaka hi kuxavisa vayavaya cuvuka yenakati habzakwe, vatlhela vamufanisa ni wansati wa mona.

Svive svitsumbuleka hi masiku ya kusungula. Hi lesvi vangavuyisa xisvona, ingi i tinhongana ta kuvanga vurhongo ka loko kutaveni vusirhelo ka xipfalu xa ntima xitirhaka hi ghezi, lesvi se apimiseke: vona vadeva mina.

Hi loko wanuna munwa, avitise svaku angava akobarara maleluni hi wora. Lesvi se arhendzelekeleke ava ativutisa bzongeni, kuta fika lana azeke akuma nhlamulu vukalaka wungamu tsakisanga. Agama atshama ingi oyehleketa svilu svarisima... tinhongana ta kuvanga vurhongo tingaha tshundzekeli.

Hi xifedulu: lexi nyini wa wena anga cinca hi xihindzo. Kulaveka aku vuchava muzimba wa wena, ni ximbewu, yenakati ave achava svaku xihitana xikulu xinga nzula xitlhela xiveni kuphindha. Nwanakati ave acinciwa hi nyini wakwe. Xihindzo ave khumbi ra norha, raku aringe tluliwi hi khumbi la CHINA. Ave asvihanya kanwe yenakati: avutshamu lakwe ari phakati ka vhiki loko aya xkolweni, hi ma sonto, loko yenakati agqoka minkhancu yakwe ya kuxanga kuva aku afamba hi yona sontweni.

"Unga tshuki uteka vavanuna ufamba na vona kutshe-veni"; kuhlaya nyini wakwe, ankama agqoka mpahla nhali mbedwini wakwe, nhatipimela kugqoka ingi ovani ntlhanu wa malembe ya kuvelekiwa. Ave hi ndlela leyi ajondzeke svaku muzimba wa wansati angava nchumu xa kujoha. Les-vi se aticeleleke ka muvala ingi i rhukudana, ava akombe-la ni mutsemeti wa misisi kuva aku angamu tsemeta misisi yakwe ya yitsongo. Anyini ave akholwa hi kusvivona.

Angava yini lesvi mamana ukalaka unga svikholwelanga loko aniyosvitiva, hi kuva ankama ani khumetshevu wa ma-lembe ya kuvelekiwa ave ahuma ka xivonelakule ingi ipha-pharati loko lahali kuphulukiwa. Hi kuva aku nyini wakwe atave atsumbule svaku nwana wakwe akusuhi ni kuyenca wansati, hambe loko ngqodho yakwe yini svijoho svakhale, ave atsumbula svaku arhandza Pretty Things. Makungu hi lawa, kutaveni kuya mahlweni hi ndlela ya xikombiso ka Tyra Banks's. Aveni xihantla yenakati hi kunyikela mahlo mayameketiwa ka tilivizawu, kuva aku atajondza mayelanu ni xiwonho, kutikombisa ni kurhunga mpahla; loko atave atekele kokwana wakwe hi nongavutivi, angari aku angaza ajondza matimu ya khaleni ka khale. Kambe kulaveka aku akombisa ntirho hi ndlela yinene.

Ka Ncino wa Yingwe, vona vachayela hansi lisimu la Ladysmith Black Mambazo. Hi lesvi vayencisaka svona ka svihahampfuka svingasena tlhantuka. Hi kuva vukwanga bzikhomiwa hi va LBM.

Hi svolesvo, svipimisi ka loko nitava ni khala, nikhalela tshomba la mina. Watela la b'ava wa mina. Handle ka mawatela hinkwawu lawa angani vutlhari kona, svosvi yenakati ataveni kukambela hi nkwayu minsimeko - ingi yova ya yena. " Se leli i watela la Daniel Changaira rixaviweke hi madolari manharhu ni hanfu; yenakati wa pimisa hi kulava aku hlamarisa...

Se loko alanguta tlhelweni ka rextawurante, avona svaku atapeli ali kokiwanga khale, makliyenti ni tlhelo linwani.

Tinhongana tinyela svakuja svingesena jiwa.

"Namuntlha ka siku vale kuhumuleni" , bzela yenakati svaku kuveni kuphazama kuvulavuleni. Tinhloko tinwani tive tindzuluka, kambe yena ahaya mahlweni hi kutshama anga wololokanga, nahasvitiva hi kanwe ka vunene bza kutisola kuya fika lana angatasvikota.

Awatela leli lixaviwe hi Daniel Changaira hi madolari, hi lembe la 1982. Hi kusa akhale ka nwinyi wa kona (mulungu), akarhele hi ndhawu liyana. Nakona alava ndhawu yaku ata tshama kuya fika magamu ka vutomi bzakwe. Yenakati alitivise aku yini vito la Daniel Changaira? Nho vutisa... Hi kusa ankama uyaka mahlweni hi kutitlhota, vatsongwana valava aku tiva svinwani mayelanu ni vumunhu bza b'ava wa vona.

Hi kuva kuni ndhawu yi tlhotekeke ka mukhwapa wa kupsaliwa vuhlayaka lesvi tatana wa kukala akumutiva. Hi kusa hi nkwavu ka ntanga ya vona avani nkumusha ni mutupo , se yenakati ave alava yindlo ya ntumbuluku ni vito ra ntumuluku. Hambe lesvi ativaka svaku angataza asvitirhisile vumunhwini bzakwe; yenakati awolava aku svitiva.

Hakusa yenakati akule nhali nwanakati vunwa muntini, ava aheta nkama wukulu nha avona nongoloko wa maphoyisa Studio Universal, hi tlhelo rinwani ajondza manyokoronyokoro ya Nancy Drew, asvingana kuhlamalisa loko asencha svilu sva nyini wakwe, loko yenakati atava ali ntirhweni. Kumbe kuva aku ahuma, hi liyendzo ni mintengo.

Yenakati ave akuma vito lakwe ka matimu ya khale, nisvinwani svinyingi svahava. Na manje vito lakwe live li phathima ka Internet... Nkameni wa kona na aharimumpsa, yenakati arixifaniso na Nancy Drew, se lesvi anga akuna mani waku anga boha nawu xana?

Yenakati ave abzala makungu, ava asungula aku yenca diyeta, ntolovetamirhi, arhendzelekela gqeke ni mabuku ya kutika nhlokweni, ka loko nyini wakwe atava angari kona.

"se lesvi utaja yini sinyora ? "

Ava ahleka hi kuphindha – yenakati atitwa ari mukanganyisi. Akhumbula akuveni tsevu wa malembe ya kuvelekiwa, ava atiyenca ingi i nwana wa makwenu wa b'ava wakwe, na maxaka yakwe mawutiva ntiyisu.

Wansati wa nyokana atshameke rextawurante. Vanhu va kutala vahlalela ka loko kutave kuhundza malembe hi nkwawu. Kambe yenakati atiyencisa kuva aku vanhu vatapimisa svaku hi Nancy Drew, kambe svosvi i watela linene, hi nkarhi wunene. Nakuve mbilu yakwe ingi i xitimela xa mati loko xile ka mati makulu.

"Huku ya kuholokela" , yena ahlaya nhanga zanga alava

kutiva svaku kungava kusvekiwe yini. Nha anga zanga alave aku tiva male leyi vaxavisaka ha yona, kufana ni masiku ya kusungula. Ave lesvo svimusindziseke ka loko atave asungula aku nghena ka ndhawu liyana. Ankama vanga qungela maphoyisa, vave vapimisa svaku angava yenakati angatava avarhumelile. " Huku ya kuholokela ya tlhasa, kuva aku yitanyikiwa munhu munwe" na lweyi wa nwhanyana wa kusveka, aveke asiya ndhawu liyana nhayi nunwhela.

Atlhela akumeka ali yece, atshama habzakwe ingi i nhlampfi loko yiri handle ka mati. Svipfanga ni kumudanisa hi kuphindha loko kutave kuhundza malembe-ni-malembe.

" Ninixivutiso; kuva kubiwa huwa kungana xihundla – nitsake ngopfu loko atava anga hundzukanga mulungu, nilesvaku akupshuka kakwe aku voneki. Kambe ativa svaku aku vutisiwanga yena.

Sviyosuketana wansati munwe alava nwana, kambe asvinga faneli aku aveni nwana yence. Yenakati alorhe ninjangu wa kutala hi ntsako. Njangu wa kuhambana ni lowu yenakati akuleleke ka wona, waku tala hi svihitana. Tani hi lesvi xihitana xihlayaka svona, yenakati anghene ka Rambouillet likulu kusukela na ahani khumekaye wa malembe ya kuvelekiwa. Yenakati ave aluza wanuna lweyi ari nkulu ka yena, tani hi lesvi xihitana xahayaka mahlweni; yena asaseke ngopfu svinene, phoke ari wanuna lweyi axavisa mafurha ya tinyoka. Nha kuve xihitana xiya mahlweni, anga kona lweyi asvitiva lesvi sviyencekeke, kuya fika lana akhiringeke minhloti ka siku lero kuneke mpfula ni vusiku. Yena aveni nwana munwe, kambe anga zanga aveninjangu. Kambe ave sva hava, yenakati avitane nwana Ropafandzo amutsema nhloko, ava ahlaya svaku angahata phindha, aginya svaku nisikwana ni rinwe asvingahata yenceka.

"Kulaveka aku uphamela nyama ya huku, ni murhu wa teriyaki" lweyi wa nhwanyana wa kusveka atlhele avuya, hlekani kakwe. Kuveri mumpsha ungana mhaka ni kubula i svilu sva risima...

Hambe hi svona, xivutiso kulaveka aku ximana xiriko-na.

" khanimambu, lesvo i svinene, kambe mina ninixivu-tiso..."

Svosvi, akupfumela ka wena kulaveka aku wuveni xi-xinya, uyala aku miyetiwa.

"Mina nitenini xivutiso." Aku bula kumiyeta vanhu, se hinkwavu vani kuchava. Mahleko ya kukombisa xichavu ni rivalelo ka nhwanyana wa kusveka rextawurante, hi ku-landza xisirhelo xa kurhumeka ka madraxta. "in'na sinyora, ninga kupfuna hi yina xana?"

" Se anahati vutisa svaku kungava kutirhe nhwanyana munwe lana, vito lakwe lichiwaka Chenai Chiranga?"

Avidru lipandzeka, kusala aku titimela avujelweni.

Sviyosuketana wanuna munwe alava ndhuma hi kuva aku atava adlhaye nwanakati wakwe, ava asiya ntsumbu xi-lawini xa watela. Svihlaya svaku ka mbilu yakwe akuni kur-hula, kutlula nghozi yi yencekeke Manicaland.

Hambe svaku akuni kuhlevetela ka Vic Falls, anga zanga hi kuya jele lweyi wanuna, hi kusa ativa xakukarhi xaku axingataza ximupete jele, nakona ani ntirhisani ni maphoyisa ya vusecha...

Xilawini xa watela, kuveni wansati lweyi atsumbuleke svaku kuni munhu ayetleleke mubedwini. Aarkondisiyonadu li twalela hansi, se yenakati ava ativutisa svaku angava atlhasise aku yini kwahala. Nakuve yenakati ali kucineni. Yenakati ave aveka xivutiso na kuve axingamu kongomanga. Se kusunguleke aku tala ndhlwini, aveke apfunisiwa aku sukeleka tafuleni. Lesvi Tomescu agameke ahumelela kuva aku atamu heleketa. Kwini, lomu ali kona svosvi?

Svikumeka sviri xuma aku hlota: sungula, vito linwe, hi vumbirhi, watela linwe, kambe nchumu xa lisima i xilawu lexi, ni watela.

Se lesvi yenakati asukelekeke alanguta matlhelo hinkwawu, ateke ayeyisa aku vavisa ka nhloko kuva aku va yavana hi kambirhi. Atichaviseke hi kulanguta xib'uku.

Svinga mana svifana, kambe hasvona... ahlayile b'ava; vona voya va godola masiku lawa. Svosvi mimpimiso leyi ayilumbi yena. Ayikona ka nhloko yakwe mpimiso leyo...

Hi kuvulavula, mahlweni kakwe ha hi svamapsaliwa, loko holandza hi kuvona ka xib'uku, mahlo mataka mahambana ni yakwe, kambe ha hi yakwe. Angana xivati hambe ni xinwe ka ndleve ya ximatsi. Hi kufanana, kambe svinga yenca sviri svinene... Leyi i mpimiso ya wugamu ya Ropafadzo.

Papayi ahlaya; "namuntlha ka siku vale kuhumuleni" se yena ava atsakatsekisa nhloko. Kambe anga tshuki akanganyisiwa; kusukela siku leri b'ava anga xava Ram ka Tom

Feldman hi male ya madolari manharhu, ni masentavu hi lembe la 1982 – hinkwasvu lesvi ari nasvona phakitini, kuya fika lana akumeke mavabzi ya mbilu ava akhala hi lembe la 2003, yena ave alumbeta vatirhi va watela " futa la masiku lawa". Yena alava nchumu xaku ata kuma aku khala hi xona.

Kumbe xana hi lesvo angava ari yena, wanuna wa kusungula wa mulandi alumbeke watela, hi kuva ari wa kusungula, ave atibuma hi lesvo lava avatirha watela avatolovele aku phamela valungu. Kambe unga tshuki umubzela b'ava {papayi} hi kuva aku axave Rambouillet hi madolari manharhu ni masentavu. Hi lesvi sviyencaka aku wena upimisa svaku angava nsimeko, wa svilo svaku kala svingaduri, kumbe haysvona...! Tom Feldman, anixihantla xaku siya tiko, kusukela ka loko nsati ni nwana wakwe va file ka lesvi svichiwaka vito Nyimpi ya Rodeziya.

- Se nilungile kuva aku nita huma, Danny; kambe ave ayenca svaxihundla na papayi, vatiphutseleke vakuntse...! Mina nholava munhu wa kuxava ndhawu. Svilava aku uveni xifuva ka minchumu minyingi wa tiva?

Hi svona, yena ari wanuna wa risima atlhela agoma, kambe wena loko ulava aku svitiva, vona avatshame b'angeni, nhavabzela munwani ni munwani minchumu minyingi loko vale bzaleni.

Hi nkwayu minchumu. Ninga komba lana b'ava atshame kona nkama anga hi woga, lesvo ingi i munhu munene wa kuyigisa svilu svinene.

...ah, ave ahundzisa mpimu, hi kuva aku b'ava aveni svivutiso svinyingi. Ave wani mavito ya kona xana? Ani malembe mangani?

Ka loko atava atlhanganisa nkombo wa malembe ya kuvelekiwa? In'hina ! yena ave atsakatsekisa nhloko, nha pimisa svaku na mina ningava ningali ka matshamela manene hi Feldman. Hi magamu, Tom Feldman ave atitlirinya agama aya b'angeni ni madokumetu mambirhi mandleni: i xihundla xa lava va kuxavisa. Kumbe xana b'ava svingava svimuhlamalisile, se madala Feldman avamusiya hofisi lakwe, kambe lesvi anihlayile awomutshika

Tatana ave atsakatsekisa nhloko, ava ahlaya lesvi akalaka angasvikotanga aku minta.

Lesvi se asindziseke Feldman. Hi kuva aku b'ava aveke amu komba nhlana, ave ahlaya lesvi: loko u sindzisa kumbe xana. Atsala kutsongo kutsongo mapaxjina mangani, ava agubuta madolari phakitini.

Namanje ave ayala aku kanganyisiwa. Nchumu xaku axikarhata aku wumukanganyisa. Ungava umu vonile tatana wa mina xana? Avanhu vanga mana vanga kholwi, hi lesvi yena atlhutlhiseke svona xihundleni ka PTA, nakuve yena arhandza kutirha angaholi. Kambe yena wa vutiva ankongometo wa kona.

svaku yena atshama hi kurila hikulava minchumu — minhloti ya ngwenya. Yena i nkongometo wa kulava aku kanganyisa.

Kuni vanhu vanyingi vanga kanganyisiwa hi tatana: hi nkwavu ka ntlhanu, ka madraxta wa mina. Hi lembe la 1986, ave asungula ntlawa wa Ponzi hi lembe la 1987, ava anghena jele hi svolesvo. Aku hundzanga maviki mambirhi, ava ahuma va famba vaya lwandle. Kambe anchumu xa kusungula lexi tatana wa mina akalaka anga svikotanga aku yenca, ave aku nidlaya hi kola ka juju. Kufa ka mina kuhumelele hi kola ka mhangu. Kambe ni namuntlha ni lesvi, anga kona akholwaka.

Ropafadzo, languta mahlweni ka xib'uku, u vulavula unga zanga upfula nomo. Kambe hi kulandza kusala nzululwana, hi kulandza minkarhalo ya tilo. Yenakati angana makungu hi kola ka filmu la Nollywood ni Vaudeville ri veke li hundzisa mpimu. kambe antiyiso i nchumu xikulu ngopfu svinene xa kuhlola.

Makwerhu, makwerhu, awuli kwini lomu awulikona ?

Makwenu wakwe aveke asungula aku huma ka tilivizawu hi malembe manyingi, na jambu liva liphatimisa tindlela takwe hi ndlela ya kutisa lisima lakwe. Na lesvi yenakati akalaka angana xa kuyenca, akhululeka !

Handle ka kuphefemula ka masonchwa ya xikhale, mawatela hi nkwawu ingi motlhela masungulisa aku tirha hi ndlela ya ntsako. Nakuve vanwani va kula b'angeni nhava yimba kongi i TITANIC, atlhela anyuvela hi kuphindha, nakuve yenakati muzimba a wahapfumeli hi kukarhala. Yenakati angahata xaniseka loko ata tlhela aveni mintengo, lomu ka mawatela.

Ropafadzo, akahalaveki utimenxa. Svosvi yenakati asindzisiwa aku b'ukela lava vangata basisaka mundzuku. Rambouillet bzilumba yenakati hi vukulu, kungahana munwani.

Yenakati ava arila, a ba huwa a ringisa ni kusuka, kambe asvingana kukoteka hi kuva aku a khomiwile hi silivhere ni vidru.

Mahlweni kakwe hi nkama wunwani, avona aku tlangela ka vatirhi vakwe, Tomescu hi kulandza ava a ba huwa... Akahana munwani lweyi angata rhangelaka avukulu bza Rambouillet loko atava ahani vutomi. Kumbe xana loko mupfhumba atshuka ayetlela xilawini xa manyunyu. Kambe anga kona anga tshama ayenca svaku fana ni lesvo...

Siku lele kunga tshama kuveni wansati lweyi a lava tshomba la wena, yenakati ave anghena ka mhakwa wa nghonyama. Vali akuna lweyi ayetlelaka kurhuleni xilawini xa manyunyu. Hi kuva kuveni wansati lweyi a tihinta ngopfu svinene hi kulwela tshomba la b'ava wakwe. Kambe ayo gama hi kupfaleliwa ka xihondzo xikulu...

SOBRE AS AUTORAS

Alinafe Malonje é uma escritora de 25 anos, natural do Malawi. Licenciada em Economia e Relações Internacio-nais, tem uma pequena empresa que oferece aos alunos orientação profissional e ajuda com as inscrições para a faculdade. As histórias sempre tiveram uma grande im-portância para Alinafe: passou toda a sua vida a refugiar-se nos mundos que os outros criavam. Actualmente, seguindo uma forte paixão pela sua cultura, pelo seu país e pela mu-dança, escreve para poder um dia criar um mundo para o qual outra criança africana possa escapar.

Nyachiro Lydia Kasese é escritora, poetisa e especialista em comunicação social tanzaniana, entre outras coisas. A sua primeira colecção de poesia Paper Dolls foi publicada em 2016 pela African Poetry Book Fund na sua colecção de literatura de cordel. O seu poema 'Things That Were Lost In Our Vaginas' foi finalista do prémio de poesia da BNPA em 2014 e o seu conto Inside Outside foi nomeado pela Writivism no mesmo ano.

Nyachiro Lydia Kasese mulovi wa tigoni ga Tanzania, mugiri nya dzi poezia dzimbe dzi paluswago omu nya sitendre ni simbe silo. Patano waye nya gu phele nya milowo "Paper Dolls" khu gitonga agu "gibhonecana nya malangavila" wupalusidwe khu mwaga nya 2016 khu African Poetry Book Fund, gigu gikhwama nya mabhuku nya poezia ya litigu ngulu África, omu nya wumbano wuga ranwa "chapbook", khu gitonga si thulago "gibhukwana" .Tsalo waye anga wu thula khuye "Things That Were Lost In Our Vaginas", khu gitonga gu ganedwago gupwani "silo singa dzimela omu nya dzipfhindri dzathu" khuwo wunga hakha gihiwa nya dzi poezia BNPA khu mwaga nya 2014, gambe, githenga gyaye ginga ranwa "inside outsider" khu gitonga si tshamuselago gupwane "ndrane vbavbandze" gi hakhide gihiwa nya wulovi khu mwaga wawu mowo.

Mampianina Randria é uma jovem escritora talentosa. Ela destacou-se em um concurso de contos em 2016, graças à sua obra intitulada "Exilado na selva". Ao participar de várias oficinas literárias, aos poucos, ela começa a dominar essa arte. No ano passado, ela escreveu outro conto, "Quando pressionei o gatilho", publicado em "Ce jour-lá", pela editora Pangolin. E, no próximo ano, ela estará na revista "Do not touch", sendo a segunda artista participante com Joël Andrianomearisoa.

Mubvana **Mampianina Randria** hí mutsálí wánsíní. Hí lémbé la 2016 ativonikisile kampálísánu ya matsálwa hí "Exilé dans la brousse", akhútálá kujóndzéla katsón-gokatsóngo kuhaza malwandla yakone. N'wéxémú, atsálá "Quand j'ai appuyé sur le détonateur" língá pálúxíwá ká "Ce jour-lá" hí muhleli Pangolin. Sê háxawu ká revhixta "Do not touch", avé híxitanu artixta wavumbirhí ahlengela na Joël Andrianomearisoa.

Natasha Omokhodion-Kalulu Banda é Zambiana, com ascendência nigeriana e jamaicana nascida no Reino Unido e vive em Lusaka. Casada, mãe de três filhos, ela dirige uma dinâmica empresa de publicidade. Ela é apaixonada pela pujante cena literária em África e tem o poder de contar histórias. Foi publicada na antologia da African Women Writers (Afriwowri) Different Shades of a Feminine Mind, The Budding writer anthology by Zambian Women Writers Association (2017), e o seu conto 'To hair is Human, To Forgive is Design' foi publicado em AfricanWriter.com (2018).

Stacy Hardy é escritora e editora da revista pan-africana Chimurenga e fundadora da Black Ghost Books, África do Sul. Os seus escritos têm aparecido numa vasta gama de publicações, incluindo Pocko Times, Ctheory, Bengal Lights, Evergreen Review, Drunken Boat, Joy/and, Black Sun Lit, e New Orleans Review. Uma colecção da sua curta ficção, Because the Night, foi publicada pela Pocko Books em 2015. Ela está actualmente a finalizar uma segunda colecção a ser publicada em 2019 e está também a trabalhar numa novela. A "Involução" foi publicada pela primeira vez em Migrações: New Short Fiction from Africa, co-editado por Short Story Day Africa e New Internationalist (2017).

Tariro Ndoro é escritora e poeta Zimbabueana. Os seus contos foram publicados em várias plataformas literárias, incluindo Moving On e Other Zimbabwean Stories, La Shamba, New Contrast e Fireside Fiction. A sua antologia de poesia de estreia, Agringada: Like a gringa, like a foreigner, foi recentemente publicada pela Modjadji Books. Ela está actualmente a trabalhar (ou a tentar) numa colectânea de contos. Links para o seu trabalho podem ser encontrados em tarirondoro.wordpress.com

Tariro Ndoro, i mabalana atlhela ari muphati, ahumaka tikweni la Zimbabwe. Svihitana svakwe svikumeka ka svimanguvalava svinyingi sva matsalwa, kupatsa ni Moving On and Other Zimbabwean Stories, La Shamba, New Contraste ni Ficção Fireside. Nhlengeleto wakwe wa svithokozelo hi ndlela ya kuhoxa buku lichiwaka vito, AGRINGADA: Like a gringa, like ka vavakachi, buku leri rahali kuhoxiwaka hi Modjadji Books. Nikuva aku yenakati ali ka nhlengeletanu wa svihitana.

Hi kulava aku navela aku vona mintirhu yakwe ya mayelanu ni kubala matimu kumbe svithokozelo, ungamu kuma ka link la tarirondoro.wordpress.com

A PUBLICAÇÃO DESTE LIVRO FOI POSSÍVEL GRAÇAS AO GENEROSO APOIO DE

Carlos De Lemos
Master Power Technologies
Moçambique S.U., Lda.
<dig it> digital inspiration
Abiba Abdala
Abílio Coelho
Almir Tembe
Ângela Marisa Baltazar Rodrigues
Bainha
Carlos Jorge Jama
Celma Mabjaia
Celso Tamele
Dalva Isidoro
Eduardo Quive
Emanuel Andate

Euzébio Machambisse
Hermenegildo M. C. Gamito
Hugo Basto
Inês Ângelo Tamele Bucelate
Jéssica Brites
João Raposeiro
José dos Remédios
Julião Boane
Maria Gabriela Aragão
Muzila Nhatsave
Pincal Motilal
Ricardo Dagot
Sónia Pandeirada Pinho
Virgília Ferrão

*O SEU NOME TAMBÉM PODE CONSTAR
NESTE E NOUTROS LIVROS*

SUBSCREVA OU OFEREÇA UMA
SUBSCRIÇÃO AOS SEUS AMIGOS
E FAMILIARES

Além das vendas na livraria, a Editora Trinta Zero Nove conta com subscrições de pessoas como você para poder lançar as suas publicações.

Os nossos subscritores ajudam, não só a concretizar os livros fisicamente, mas também a permitir-nos abordar autores, agentes e editores, por podermos demonstrar que os nossos livros já têm leitores e fãs. E dão-nos a segurança que precisamos para publicar em linha com os nossos valores literários e de responsabilidade social.

Subscreva aos nossos pacotes de 3, 6 ou 12 livros e/ou audiolivros por ano e enviaremos os livros ao domicílio antes da publicação e venda nas livrarias.

Ao subscrever:
• receberá uma cópia da primeira edição de cada um dos livros que subscrever
• receberá um agradecimento personalizado com o seu nome impresso na última página dos livros publicados com o apoio dos subscritores

- receberá brindes diversos e convites VIP para os nossos eventos e lançamentos

Visite www.editoratrintazeronove.org ou ligue para nós pelo 870 003 009 ou envie-nos um WhatsApp para 847 003 009 para apoiar as nossas publicações ao subscrever os livros que estamos a preparar.

SEJA BEM-VINDO À EDITORA TRINTA ZERO NOVE

damos voz às estórias

Para os leitores de palmo e meio - Infanto-juvenil

Ana e os três gatinhos *de Amina Hachimi Alawi, Marrocos*
Sabes o que eu vejo? *de Amina Hachimi Alawi, Marrocos*
A rota dos espiões *de Manu e Deepak, Índia*
Akissi, o ataque dos gatos *de Marguerite Abouet, França*
Eu rezemos só que me safo *sessenta redacções de crianças Napolitanas, de Marcello D'Orta, Itália*
O Mundo é Meu *de Tahmineh Haddadi, Irão*
O caderno de rimas do João *de Lázaro Ramos, Brasil*
O caderno sem rimas da Maria *de Lázaro Ramos, Brasil*
O cabelo de Cora *de Ana Zarco Câmara, Brasil*
Lengalenga *de Luci Sacoleira, Brasil*
Sulwe *de Lupita Nyong'o, EUA*
Esquiaste, ursinho? *de Raymond Antrobus e Polly Dunbar, Reino Unido*

O pescador de plástico e outras profissões do futuro *de Sofia Erica Rossi, Itália*
Menino de sorte *de Lawrence Schimel, Espanha*
Não quero estar aqui *de Lawrence Schimel, Espanha*
Lê um livro comigo? *de Lawrence Schimel, Espanha*

Colecção (en)cont(r)os – Conto

Não tentem fazer isto em casa *de Angela Readman, Reino Unido*
Líquida *de Anna Felder, Suíça*
Rafeiros em Salónica *de Kjell Askildsen, Noruega*
Intrusos *de Mohale Mashigo, África do Sul*
Bagdade Noir *de Samuel Shimon, Iraque*
Beirute Noir *de Iman Humaydan, Líbano*
O Redentor do Mundo *colectânea do Concurso de Tradução Literária 2019*
No oco do Mundo *colectânea do Concurso de Tradução Literária 2015-2018*

Colecção (des)temidos - Romance

Não vás tão docilmente *de Futhi Ntshinguila, África do Sul*
Eu não tenho medo *de Niccolò Ammaniti, Itália*
Cidade Submersa *de Marta Barone, Itália*
A nova estação *de Silvia Ballestra, Itália*
Livrinho *de entomologia Fantástica de Fulvio Ervas, Itália*
Teodoro *de Melissa Magnani, Itália*
O céu visto de um buraco *de Carolina Schutti, Áustria*

Colecção (uni)versos – Poesia

Feeling e feio *de Danai Mupotsa, África do Sul*

A Perseverança *de Raymond Antrobus, Reino Unido*
Amnésia colectiva *de Koleka Putuma, África do Sul*

Não-ficção

Meu Nome é Porquê *de Lemn Sissay, Reino Unido*
Olá mãe *de Polly Dunbar, Reino Unido*

CPSIA information can be obtained
at www.ICGtesting.com
Printed in the USA
BVHW031050300821
615602BV00003B/270

9 789899 022492